Editora Charme

# A DECODIFICADORA

## Os Agentes da BSS - 1

Emi de

Esta é uma obra de ficção. Nomes, personagens, lugares e acontecimentos descritos são produtos de imaginação do autor. Qualquer semelhança com nomes, datas e acontecimentos reais é mera coincidência.

1ª Impressão 2017

Foto de Capa: Depositphotos
Criação e Produção: Verônica Góes
Copidesque: Janda Montenegro
Revisão: José Carlos Silva
Revisão final: Ingrid Lopes

Este livro segue as regras da Nova Ortografia da Língua Portuguesa.

CIP-BRASIL, CATALOGAÇÃO NA PUBLICAÇÃO
SINDICATO NACIONAL DE EDITORES DE LIVROS, RJ

Emi de Morais
A Decodificadora/ Emi de Morais
Editora Charme, 2017

ISBN: 978-85-68056-34-9
1. Romance Brasileiro - 2. Ficção brasileira

CDD B869.35
CDU 869.8(81)-30

www.editoracharme.com.br

Editora Charme

## Os Agentes da BSS - 1

Emi de Morais

# CAPÍTULO I

"Você pode sobreviver, mas sobrevivência não é vida."

Osho

***Novembro/2012 – Boston, EUA.***

As vozes se alternavam dentro do recinto, indo e vindo desordenadamente dentro da sua mente pesada. Bárbara tentou se situar e teve dificuldades para se lembrar do que tinha acontecido. Foi tudo tão rápido! Talvez alguém tivesse colocado algo em sua bebida do fim da noite, porque ela se lembrava apenas de ter se sentido tonta e de alguém segurá-la antes de apagar.

Tentou se mover e percebeu que suas mãos estavam atadas. Uma venda cobria seus olhos e tudo o que conseguia sentir era a presença de pessoas na sala ou onde quer que ela estivesse.

— Está acordando.

A voz masculina era rouca e baixa. O som de passos e o barulho da maçaneta indicaram que quem quer que estivesse ali havia saído. Uma mão fria e macia tirou sua venda, e ela sacudiu a cabeça tentando fazer com que seus olhos se adaptassem à luz. Sentada à sua frente, uma moça ruiva e de traços bonitos a olhava cuidadosamente.

— Como se sente?

Bárbara a encarou, confusa. *Jesus, ela estava falando em inglês? Era isso mesmo?* Ela não se deu ao trabalho de responder. Estava mais do que apta a falar e compreender o idioma e o fazia com fluência, mas foi pega de surpresa. Assim, continuou muda. A ruiva fez uma nova tentativa.

— Você está bem, Babi?

*Babi?* Esse era um apelido muito particular. Apenas algumas pessoas mais íntimas a chamavam desta maneira e esta moça de forma alguma lhe era conhecida, quanto mais uma amiga. De fato, Bárbara tinha uma ideia do que podia estar acontecendo. Olhou à sua volta. Estava em uma sala de interrogatório em um departamento de polícia. Ambiente frio e cinzento. A ruiva a encarava sem muita expressão, embora os olhos denunciassem certa preocupação.

— Poderia desamarrar minhas mãos?

Ela falou em português porque precisava ter certeza de que a estranha compreendia ambas as línguas. A ruiva deu um sorriso contido e falou novamente em inglês.

— Não posso compreender sua língua. Fale em inglês, eu sei que você pode.

Bárbara repetiu o pedido em inglês e a ruiva foi até ela e desatou o nó apertado da corda. A moça esfregou os pulsos e olhou para a mulher, que se manteve em pé. Ela era alta e magra, com um corpo escultural dentro de um jeans e uma fina camisa branca.

— Vamos ao que interessa, Babi! Sabemos que você recebeu uma mensagem para decodificar destinada a Julián Martinez.

A ruiva alta debruçou-se sobre a mesa e encarou a moça de frente.

— Onde está?

Bárbara riu, não em desafio, mas por pura incredulidade. Aquela mulher devia ser louca, pois de maneira alguma ela daria com a língua nos dentes e entregaria Julián tão facilmente.

Esses policiais eram uns merdas. Queriam o serviço fácil. Se realmente desejassem saber o que tinha na mensagem, deveriam contratar algum profissional apto a ler os códigos.

— Se quer a mensagem, peça a Julián — argumentou Bárbara.

— Não tenho tempo para brincadeiras! Preciso da mensagem e você é a única que sabe onde ela está — rebateu a ruiva.

— Engana-se, moça. Não sei, mas, ainda que soubesse, não falaria.

— Está caminhando para encontrar uma encrenca bem grande, menina.

Babi tinha certeza de que estava mais do que ferrada. Estava atolada na merda. Era um inferno que vivia há um ano e não tinha ideia de como sair dele. Julián era um traficante colombiano da pior espécie e a mantinha em rédea curta para a execução do trabalho de decodificação que um dos seus negociantes insistia em usar.

A moça desconfiava que o tal homem dos códigos devia ser alguém de nível muito alto, porque a pessoa distribuía drogas por toda a América do Sul e Central, e ainda colocava a mercadoria dentro das fronteiras norte-americanas com certa facilidade. Ele despistava os federais com habilidade e estava sempre um passo à frente do serviço de inteligência que tentava há anos pôr as mãos nele.

As mensagens em código eram uma segurança que o negociante não abria mão, uma vez que nem mesmo Julián conhecia sua verdadeira identidade. Era uma teia criminosa de alto padrão na qual ela foi obrigada a se envolver e que agora parecia estar indo em direção ao que ela chamava de "problemas em potencial, com P maiúsculo".

A mente de Bárbara era muito rápida e eficiente. O silêncio seria seu maior aliado no momento. Não tinha ideia de quem era a mulher que a interrogava, mas não podia nem daria uma única pista para que ela chegasse à mensagem que Julián estava para lhe enviar nos próximos dias.

Cinco homens ocultados pelos vidros duplos e espelhados da sala observavam o interrogatório que Lorena fazia com a brasileira chamada Bárbara.

— Ela não vai falar. É um deles e sabe que, se soltar qualquer coisa que seja, será morta por Julián.

— Não acredito que ela seja um deles. Os federais no Brasil têm mantido um olho nela nos últimos seis meses; ela não tem o perfil de uma criminosa. Há alguma coisa que a prende ao Julián que ainda não sabemos.

— O que seu contato relatou sobre ela?

Samuel abriu um dossiê com muitas folhas que tinha pegado com seu contato no Brasil, cheio de detalhes sobre a vida da decodificadora chamada Bárbara Savi. Ele havia destacado os pontos que sabia serem os mais importantes, ou que pelo menos deveriam ser, sobre o estilo de vida pacato e monótono que a brasileirinha levava.

— Ela tem vinte e três anos e é bartender em um bar muito badalado em São Paulo, cidade onde nasceu e se criou. Mora em apartamento alugado e modesto em uma área de classe média baixa e tem uma vida discreta. Os pais morreram quando ela ainda era uma adolescente. Ela foi morar com um namorado, e seu único irmão ficou aos cuidados de uma tia, e só voltaram a morar juntos depois que ela atingiu a maioridade. Nesses últimos meses, não se ouviu falar nada dele e, quando questionada, a resposta era sempre a mesma: ele tinha ido estudar em uma universidade no interior do estado. A informação não condizia, uma vez que o garoto tem apenas dezesseis anos, idade insuficiente para estar na faculdade.

O chefe interrompeu a leitura.

— É aí que mora o segredo. Levante a vida do garoto.

— Já encomendei o dossiê. Deverá estar pronto em alguns dias.

— Não temos muito tempo, Sam. Julián deve entrar em contato com a brasileira e requerer a decodificação em dois ou três dias. Temos que alcançar a mensagem antes dele e deixá-lo pensar que as coisas transcorrem normalmente. Nosso agente infiltrado no cartel não acredita que conseguiremos esconder muito até Julián se dar conta de que a garota sumiu.

— Você vai ter as informações a tempo, chefe. Fique tranquilo.

O chefe estava tranquilo. Sabia que tinha uma equipe muito eficaz, que nunca havia falhado. Ele mesmo tinha treinado os quatro homens ali presentes e a mulher na sala de interrogatório, e segurava com mãos de ferro alguns outros fora da equipe principal, mas que lhe davam apoio.

Ele era o melhor dentro da organização secreta que servia diversos parâmetros governamentais, dentro do continente norte-americano. Seus agentes eram de nacionalidades diferentes para que pudesse ter respaldo em locais de culturas e línguas diversas.

Lorena veio até ele e parecia bastante frustrada.

— Temos uma situação aqui, Dylan. A garota não é toda frufru e laços cor-de-rosa. Vai dar trabalho tirar dela a informação.

Dylan, o chefe, acenou com a cabeça pensativamente. Lorena era uma agente muito boa na área de observação, uma habilidade que lhe era muito útil. Uma conversa, um movimento, um estreitar de olhos e ela tinha todas as linhas de trabalho a serem seguidas. Podia dizer até o tamanho do sutiã ou o número da cueca com apenas uma passadinha de olho.

Se estava dizendo que Babi era dura na queda, então ela era. Não importava que as perguntas tivessem sido restritas e o tempo, curto dentro da sala. Dylan já conhecia Lorena há tempo suficiente para confiar plenamente na sua avaliação.

— Vamos apertar um pouco o cerco. Deixem-na apenas de roupas íntimas em uma sala bastante gelada, sem comida ou água até o anoitecer. Ela estará mais propensa a falar se enfrentar alguma dificuldade.

Os agentes se entreolharam, mas ninguém questionou, apenas estranharam o caminho que o chefe estava tomando, pois ele era "todo cuidados" com o sexo feminino, embora não demonstrasse tão claramente. Abstinência alimentar não era algo que ele costumava fazer, a não ser que o caso fosse muito extremo.

Aos agentes, não parecia que a pequena brasileira fosse um risco. Entretanto, Lorena voltou à sala de interrogatório a fim de cumprir a ordem dada.

Quando ela entrou novamente na sala, Babi se levantou. Lorena desligou o aquecedor, foi até o ar e ligou-o no máximo. Em seguida, apontou para as roupas da garota e ordenou:

— Tire as roupas.

— O quê?

— Fique apenas de lingerie, baby.

— Não pode estar falando sério.

— Estou bem séria.

— Quem é você, afinal? Alguma espiã russa com métodos de tortura moderna?

Lorena riu da garota.

— Sou alguém que precisa de uma mensagem decodificada, mocinha, e vou consegui-la. Agora, faça o que eu mando e não se engane com a minha aparência de boazinha. Posso deixar as coisas bem ruins pra você nas próximas horas.

Bárbara não discutiu mais. Retirou as roupas e olhou em torno da sala. Sabia que tinha câmeras e que havia gente por trás do espelho, e sentiu-se um pouco constrangida. Cruzou os braços sobre os seios, tentando ocultá-los, e sentou na cadeira, na esperança de que a mesa escondesse seu corpo dos olhos curiosos.

Do outro lado, os agentes mal podiam conter o entusiasmo.

— Ela é gata. Pequena e perfeita.

— Dizem que as brasileiras mandam ver no sexo.

— São boas.

Os olhares se voltaram para o dono do comentário. Com um metro e noventa de altura, o canadense Jason sorriu com a reação dos colegas.

— Já esteve com uma brasileira?

— Com mais de uma. São incríveis. Pode apostar.

Lorena revirou os olhos, indignada.

— Por que não dão um pouco de privacidade à nossa bebê e vão arrumar o que fazer?

Ramon, um mexicano bonito e muito bronzeado, protestou.

— E perder toda a diversão?

Os homens riram e Dylan interveio na situação.

— Tirem suas mentes da calça e movam seus traseiros antes que eu faça isso por vocês.

Um pequeno burburinho de reclamações, e os quatro agentes estavam fora da sala. O chefe olhou para Lorena.

— Mantenha um olho nela e me ponha em contato com o comandante da Força Nacional de Segurança no Brasil.

Quatro horas depois, os dedos dos pés, bem como das mãos, de Bárbara já estavam congelados. Ela sentia os membros formigarem e os dentes baterem.

Ela murmurava palavrões em português e pensava que podia estar em uma enrascada pior do que tinha imaginado.

A ruiva entrou novamente.

— Está pronta para falar, Babi?

— Não me chame de Babi, e pela centésima vez vou dizer: eu não sei da porcaria da mensagem.

Lorena se aproximou dela. A garota batia os dentes e tinha a pele toda arrepiada. Era bem bonita: cabelos pretos lisos e longos chegando à cintura, divididos ao meio sem um único fio maior ou menor. Tinha a pele bronzeada e os olhos tão escuros quanto os fios.

— Escuta, menina. Você é bonita e jovem, cheia de vida. Nos dê a informação que queremos e resolva o problema. Você não tem que passar por isso.

— Dou-lhe uma única informação sobre Julián ou qualquer coisa que o envolva e não chego ao meu apartamento antes de ter uma bala na cabeça.

— Não aqui.

— O que quer dizer?

— Você não corre perigo aqui nos Estados Unidos.

Bárbara sentiu como se levasse um soco no estômago. Estados Unidos da América? Como tinha vindo parar em solo americano de um dia para o outro?

Achou que o fato de a ruiva falar apenas em inglês era algum tipo de jogada. Não pensava estar fora do seu país.

— O que estou fazendo aqui? Está de brincadeira que eu estou fora do Brasil?

— Não. Te trouxemos em um jato particular ontem.

Babi sentiu o ar sumir dos pulmões. Droga, merda e todas as porcarias do mundo para o que tinha acabado de ouvir. Estava mais do que ferrada, estava atolada na bosta até a testa. Julián iria procurá-la e ela não estaria disponível. Jesus Cristo, Tiago. Deus! Eles iam matá-lo!

Lorena viu o desespero nos olhos da brasileira.

— Tem algo a me dizer, Babi?

— Escuta, eu preciso voltar. Não sei o que pretendem fazer, mas tenho que estar no Brasil em um prazo máximo de dois dias.

— Pode estar de volta hoje à noite. Basta nos passar a mensagem decodificada e estará livre.

— Eu não tenho a merda da mensagem. Meu Deus, como posso dar algo que nem sei o que é?

— Está mentindo, mocinha. É a melhor no ramo da decodificação e trabalha há tempos com Julián Martinez. Você tem ajudado no comércio de distribuição de drogas por todo o continente americano com seu trabalho junto ao cartel colombiano. Então, vamos ser práticas aqui: nos dê a rota inserida na mensagem e volte pra casa. Guarde o segredo e morrerá de fome e frio.

A ruiva saiu exasperada, e Bárbara começou a andar de um lado para o outro. O fato de estar quase despida não a preocupava mais. Estar a quilômetros de distância de casa e ser incapaz de receber a mensagem do traficante era aterrorizante.

Ela olhou para o espelho e mostrou o dedo do meio para quem quer que estivesse ali. Estava furiosa, preocupada, com frio e com fome. Bons modos não se encaixavam no momento nem na forma cativa em que estava sendo mantida.

Dylan sorriu para o gesto mal-educado da moça. Era um bom sinal. Primeiro, vinha a raiva, a fúria contida, depois o corpo sucumbia à dor e aos desconfortos, e, então, os primeiros sinais de fraqueza que a fariam ceder.

Lorena saiu da sala e aproximou-se dele com o telefone na mão.

— General Costas, do Brasil.

Dylan pegou o telefone e se anunciou secamente.

— Dylan Meyer.

— Terá o agente desembarcando aí amanhã à noite. Mantenha-me informado.

— Farei isso. Obrigado.

A ruiva sorriu ante a conversa seca e de apenas alguns segundos dos dois líderes. Homens eram criaturas muito arrogantes e competitivas mesmo.

Ela nunca se acostumaria com isso.

— O agente brasileiro chegará amanhã à noite. Ele tem informações bem precisas sobre a decodificadora e o trabalho que ela desenvolve para o cartel colombiano. O agente tem acompanhado os passos dela nos últimos meses.

— Acho que ele pode ter mais sucesso, porque não a vejo colaborando com ninguém aqui nas próximas horas.

Ninguém mais incomodou Bárbara durante toda a noite e ela achou que ia congelar. Estava encolhida no canto da sala e passava as mãos pelos braços na tentativa de se aquecer. Não conseguia dormir. Seu estômago roncava e seus membros doíam pelo frio que estava sendo obrigada a suportar.

Era início de novembro, o que significava que devia estar uma temperatura muito baixa nos Estados Unidos. Isso, aliado ao ar ligado ao máximo dentro da sala, estava fazendo seus sentidos esmorecerem e seus lábios ficarem roxos e ressecados.

Ela pensou que devia estar ali por mais de doze horas, mas não falaria de jeito nenhum, não por ela ou por sua vida, mas o maldito Julián tinha algo que valia muito para ela e jamais arriscaria perdê-lo por ter cedido tão facilmente.

Na manhã seguinte, Samuel, Jason, Ramon e Fritz tomavam café enquanto assistiam, sem muita emoção, à tentativa matinal de Lorena de arrancar alguma informação da quase congelada brasileira que jazia encolhida no chão.

— Ela é durona, chefe.

— E se ela não tiver mesmo a informação?

O agente alemão Fritz começava a apostar que a pequena não tinha recebido a informação que eles buscavam.

Dylan olhou para o espelho de onde podia ver Lorena falando sozinha. A brasileira sequer abriu os olhos. Para uma mulher há mais de vinte e quatro horas exposta ao frio e sem comer e beber nada, ela era resistente.

— O agente brasileiro está vindo hoje. Pode ser que ele traga algo novo.

— Vai mantê-la dessa forma?

O chefe encarou seu agente mais velho. Era um homem durão, mas de boas maneiras.

— Está preocupado com ela, Sam?

— Ela me parece um tanto frágil e posso concordar com Fritz de que talvez ela não tenha a mensagem.

— Nosso informante disse que a mensagem foi entregue no local de trabalho dela por um dos homens de Julián. Temos todos os eletrônicos encontrados na casa dela e em breve as mensagens do celular e os e-mails serão disponibilizados em inglês pelo pessoal do posto dois, somente então poderemos saber se o agente dentro do cartel se enganou.

Ramon fez coro com os colegas.

— O informante pode ter errado, Dylan. É só uma menina. Dar-lhe algum conforto não vai nos trazer risco algum.

— Tampouco a informação que queremos.

Dylan deu as costas ao espelho e encarou seu time de agentes.

— Deixem de pensar com a cabeça de baixo e mantenham-se focados. Parece uma menina frágil e desprotegida. Deem as costas a ela e levarão um tiro no meio da nuca. Achei que já tivessem aprendido algumas lições com o que viram por aí.

Todos eles já tinham aprendido melhor do que cobrirem suas costas. A vida dentro do mundo das drogas, da criminalidade e outras atrocidades que aconteciam nos quatro cantos do planeta estava intimamente ligada aos agentes ali da sala. Não eram de se intimidar facilmente ou de ficar penalizados como uns maricas sentimentais, de jeito nenhum. Eram homens acostumados a lidar com a violência e a serem duros em suas ações.

Mas, por algum motivo, a imagem de Babi da maneira que estava ali, caída e debilitada, com a pele azulada pelo frio e os dentes batendo descontroladamente, causava-lhes algum desconforto. Talvez por ela ser tão pequena e ter aqueles olhos doces no rosto angelical.

# CAPÍTULO 2

**"Atitude é uma pequena coisa que faz uma grande diferença."**

**Clarice Lispector**

Murilo estava a caminho da sede do Serviço Secreto para Operações Especiais nos Estados Unidos. O motorista que o transportava estava atento ao trânsito e ele observava as ruas movimentadas de Boston.

Estava ansioso para chegar. O departamento americano para missões secretas era do mais alto escalão e trabalhar com eles seria uma alavanca para sua carreira. Ele tinha ficado surpreso em saber que a bartender que ele estava investigando há meses tinha vindo parar dentro do complexo subterrâneo de segurança máxima onde funcionava a sede da agência. Não tinha ideia de que o governo dos Estados Unidos estava trabalhando em cima do tráfico colombiano.

A coisa era mais extensa do que ele e o pessoal contra o narcotráfico no Brasil haviam pensado.

O motorista manobrou para o que parecia ser um estacionamento simples no subsolo em um prédio dentre os muitos com mais de vinte andares da cidade norte-americana, parou bem no fundo e abriu a porta rapidamente.

Murilo o seguiu sem fazer perguntas e entrou com ele no elevador. Observou o complicado código digitado pelo homem e sentiu que estavam descendo.

Quando a porta se abriu, o agente brasileiro ficou intimamente impressionado com a imensidão e o luxo do complexo. Ele foi levado direto à sala do comandante da equipe, Dylan Meyer.

O homem se levantou ao vê-lo entrar, depois de ser anunciado. Murilo fez uma avaliação rápida do líder à sua frente: alto, forte, por volta dos trinta e cinco anos. Bastante jovem, se considerar a importância de seu trabalho e o respeito conquistado dentro das agências secretas em geral.

Eles se cumprimentaram seriamente e o comandante indicou que Murilo devia se sentar.

— Você tem acompanhado Bárbara nos últimos meses.

— Sim. Ocultamente, devo lembrar.

— Com qual objetivo?

— Ela parece estar ligada a um cartel de drogas colombiano que tem negócios com os traficantes de um dos principais morros que movimenta o tráfico no Rio de Janeiro. As mensagens são codificadas e o departamento de narcotráfico precisa entender o funcionamento da rede com mais precisão para poder agir.

— O traficante em questão é Julián Martinez. O mesmo que tem colocado seus produtos dentro das fronteiras norte-americanas. Vejo que temos uma rede maior e mais extensa do que imaginado a princípio.

Murilo concordou. *Caraca, parecia coisa de cinema*. Tudo indicava que o colombiano estava ganhando espaço e dominando toda a rede de tráfico do continente.

— A decodificadora é nossa chave para a rota que vai ser usada na operação que está para ser executada nas próximas semanas. Você precisa trabalhar a questão com alguma rapidez. Não obtivemos muito sucesso com ela nesses dois dias desde que a pegamos.

— Certo. Onde ela está?

— Em nossa sala de interrogatório.

Dylan saiu do seu escritório moderno e altamente tecnológico e guiou Murilo até os espelhos. O ar gelado tinha sido desligado ao entardecer, mas a garota ainda estava deitada no chão, vestindo suas peças íntimas de dois dias anteriores e sem comida.

O brasileiro arregalou os olhos quando a viu e virou o rosto para encarar o comandante ao seu lado.

— O que fizeram com ela?

— Ela não colaborou como deveria, por isso precisei tomar medidas mais severas.

— Está louco, comandante? É só uma menina.

Murilo tinha um pavio curto e era um homem de atitude. Não importava a ele quão importante era o comandante e que a partir desse momento ele era seu chefe até que a missão estivesse concluída. Murilo passou pelo homem com passos firmes e entrou na sala sem fazer cerimônia.

Lorena olhou para ele um pouco pasma e, em seguida, para o espelho, esperando uma reação de Dylan. O agente brasileiro tirou seu casaco e envolveu a moça com cuidado, suspendeu-a nos braços, e falou com voz contida, porém firme, à ruiva incrédula que estava bem à sua frente.

— Arrume um quarto decente onde eu possa levá-la, prepare algo para ela comer e uma garrafa de café.

Dylan apareceu na porta e encarou o homem com a garota no colo. Olhou para Lorena e deu um aceno de cabeça, como forma de dizer que estava tudo bem fazer o que lhe foi pedido.

Ela saiu da sala e Murilo a seguiu. Dylan ficou olhando para as costas do agente. Sam, Jason, Fritz e Ramon chegaram bem na hora e se entreolharam, surpresos.

— Temos uma situação aqui, chefe?

O comandante não respondeu de imediato; estava focado em seus pensamentos. Minutos depois, falou irritado.

— Definitivamente temos uma situação. Só espero que ele possa nos trazer algum resultado satisfatório além do seu maldito gênio latino.

Ramon sorriu. Era um mexicano genioso, e Dylan frequentemente amaldiçoava o sangue quente do povo latino. Os outros olharam para ele e pareciam se divertir.

Murilo estava furioso. Ele deitou Babi na cama com gentileza e ajustou o aquecedor do quarto. Puxou o edredom sobre o corpo dela e, então, a viu abrir os olhos. Ela fitou o rosto dele com desconfiança. O agente sentou na beirada da cama e falou em português, para que ela se sentisse mais confiante.

— Já providenciei que trouxessem comida e café quente pra você.

— Café é bom.

— Eu sei. Você toma cerca de duas garrafas por dia.

Ela estava surpresa por ele saber, mas não disse nada.

— O que quer de mim?

— Primeiro, você vai tomar um banho. Em seguida, vai se alimentar e beber seu café. Somente depois vamos conversar.

Ele se levantou bem a tempo de ver a porta se abrir e uma senhora com sorriso simpático entrar com um carrinho que exalava um cheiro bom. A mulher saiu sem dizer nenhuma palavra.

O estômago de Babi acordou com o aroma da comida. Ela se levantou e puxou o edredom até os seios.

— Vou sair. Desfrute de sua refeição. Estarei de volta em uma hora.

Bárbara achou que esse era um homem decente. Ela saiu da cama ávida por se alimentar. Faria isso antes de tomar banho, pois estava faminta.

Ela destampou as caçarolas e achou que as batatas fritas eram a visão do paraíso. Isso sem falar nos bifes! Estes, então, com certeza eram prêmios celestiais comestíveis e dos quais ela não se absteve.

A moça comeu tudo o que tinha direito e tomou um copo cheio de café. Com o estômago forrado e se sentindo muito melhor e aquecida, lembrou que o rapaz que a trouxe para o quarto devia saber como ela era viciada em café preto.

Havia um roupão luxuoso e uma muda de roupa na parte de baixo do carrinho. Ela se abaixou para pegar a calça jeans e a camiseta preta. Seu par de tênis e um novo conjunto de lingerie estavam lá também.

Ela deixou a roupa em cima da cama, agarrou o roupão, foi até o banheiro e deixou que a água quente acariciasse seu corpo que quase havia congelado no dia anterior.

*Malditos policiais e seus métodos "suaves" de tortura!* Ela encostou a testa no azulejo do banheiro enquanto suas costas sentiam o impacto da água que a relaxava.

Babi se olhou no espelho depois que se secou e penteou os cabelos recém-lavados. Os lábios estavam ressecados por causa da exposição ao ambiente frio e seus olhos, abatidos. Aquela não era nem de longe sua melhor aparência.

A garota vestiu o roupão macio, amarrando-o firme na cintura. Estava na hora de encarar o mundo. Tinha que voltar para casa e para seu trabalho em um dia e precisava arrumar uma maneira de convencer a ruiva a deixá-la ir. Talvez o cara que a tirou da sala de interrogatório pudesse ser mais complacente com ela. Talvez.

Lorena estava encostada na parede em frente ao quarto da decodificadora. Quando a porta abriu e o agente brasileiro apareceu, ela acenou com a cabeça, indicando que ele deveria segui-la.

Murilo foi atrás da ruiva sem fazer perguntas. Sabia onde ia parar e não estava sequer preocupado. Se o comandante quisesse que ele estivesse dentro dessa missão, então as regras deveriam ser alteradas. Tortura de nenhum tipo ou nível seria usada contra Babi, e isso não estaria em pauta.

Como desconfiava, ele foi conduzido à enorme e bem equipada sala de seu novo chefe. Ele entrou e ouviu a porta ser fechada atrás de si. Esperou silenciosamente que o homem falasse.

— Sente-se, agente.

O brasileiro obedeceu e continuou em silêncio.

— Da próxima vez que você interromper uma ordem minha, será colocado dentro de um avião de volta para o seu país, com a prescrição de falta grave adicionada ao seu prontuário antes que tenha a chance de questionar. Eu sou o comandante dessa unidade e eu dito as regras por aqui. Estamos entendidos, agente Marconi?

— Não, senhor.

— Como disse?

— Eu disse não, senhor.

— Não estou certo de que compreendi sua resposta, agente.

— Eu fui designado como agente-suporte para seu time, senhor, mas de maneira alguma vou concordar com métodos desumanos praticados contra a garota.

— Não é da sua alçada questionar meus meios para se chegar a um fim.

Murilo se levantou.

— Comandante Meyer, eu tenho as informações sobre a garota e a plena certeza de que conseguirei a colaboração dela para este caso, entretanto, se a minha forma de trabalhar não condiz com a sua linha de trabalho, posso me retirar do caso agora mesmo e deixá-lo livre para ir em frente da maneira que melhor lhe convier.

— O senhor é muito petulante, agente.

— Mas sou bom no que faço.

Dylan pensou um pouco e olhou diretamente para o homem à sua frente. O bastardo tinha muito mais do que seus contatos haviam conseguido em meses no Brasil. Não podia se dar ao luxo de dar um chute no traseiro dele e colocá-lo para fora da Base. Assim, por ora, teria que tolerar a arrogância do brasileiro.

O comandante se levantou.

— Coloque suas coisas em um dos quartos sobressalentes e reúna-se comigo em meia hora na sala de reuniões.

— Sim, senhor.

Murilo já estava saindo quando Dylan o chamou de volta. Ele parou com a mão na maçaneta para olhar seu chefe com uma expressão séria.

— Ande na linha comigo porque posso ser seu pior pesadelo nos próximos dias.

— Estou ciente disso.

Murilo saiu da sala e encontrou a ruiva já aguardando para conduzi-lo para o quarto ao lado do que Babi ocupava. Ele sabia que tinha assumido um risco enorme contrariando os protocolos do comandante.

Dylan Meyer era conhecido por sua exímia competência no trabalho e influência dentro das organizações federais e secretas. Era um homem poderoso, apesar de ser ainda bem jovem. Controlava a Base com mãos de ferro e seus agentes eram os melhores e mais requisitados para as tarefas mais árduas.

Quando a situação chegava à palavra “impossível”, era entregue nas mãos do comandante e ele fazia a coisa acontecer.

Murilo deixou seus pertences em cima da cama e saiu em seguida. Precisava ter uma palavrinha com a garota antes de se reunir com o chefe. Ele entrou sem bater e ouviu o barulho do chuveiro. Esperava que ela não demorasse, pois era importante para ele chegar até Dylan com alguma coisa concreta em mãos, principalmente depois de tê-la tirado da sala de interrogatório sem autorização.

Ele se esticou na cama, encostando os ombros na cabeceira. Cruzou os braços sobre o peito e esperou.

Dez minutos depois, a porta do banheiro se abriu e a visão de Babi com os cabelos úmidos e a pele fresca mexeu com seus sentidos. Ele percorreu os olhos pela figura feminina tão bem feita. Desceu os olhos pelos bicos dos seios dela, que estavam visíveis através do tecido, e pela curva de sua bunda, que era tentadora. A água escorria pelas coxas lenta e eroticamente. Nunca alguém poderia ter parecido tão bela aos seus olhos.

Ele sorriu intimamente, lembrando a si mesmo que o trabalho desenfreado dos últimos meses o tinha deixado distante das mulheres por muito tempo, mais tempo do que o habitual, e essa podia ser a razão do seu corpo reagir tão facilmente. Seu membro endureceu dentro da calça com rapidez.

Não que ela não fosse mexer com ele mesmo que ele tivesse alguém. Babi era como uma bonequinha de porcelana: linda e pequena, com não mais do que um metro e sessenta e cinco, tudo no lugar e muito bem torneada.

Babi pegou suas roupas em cima da cama e voltou para o banheiro. Quando retornou ao quarto, Murilo sem querer se pegou novamente avaliando o corpo da garota, até que seus olhos se encontraram.

— Você parece bem melhor agora.

— Sim, estou. Obrigada por me tirar de lá.

— Não foi gratuitamente. Tudo tem seu preço.

*Maldito mercenário. Ela devia um favor que sabia que não teria condições de pagar.*

— Quem é você?

— Não tenho muito tempo para apresentações formais agora, Babi.

Tenho uma reunião em dez minutos com um pessoal que vai te esfolar viva se você não der a eles o que querem.

— Não tenho nenhuma mensagem para ser decodificada.

— Quando vai recebê-la?

*Opa*. Barbara olhou para ele com cautela. Era a primeira vez, desde que chegou, que não estava sendo acusada ou chamada de mentirosa. Ele aceitou que ela não tinha a mensagem e parecia confiar que estava falando a verdade. Não adiantaria negar, pois era óbvio que todos ali sabiam o que ela fazia para Julián.

— Provavelmente em um dia ou dois.

— Certo. Como Julián costuma te contatar?

— Por que eu falaria sobre Julián?

— Porque eu sou a pessoa que pode te ajudar a se livrar dele.

— E por que você acha que eu quero me livrar dele? E se eu for uma deles?

— Por que uma garota linda e cheia de vida, com uma inteligência incomum, que poderia ser usada em seu próprio benefício, se aliaria ao dono de um cartel de drogas e trabalharia para ele sem ganhar sequer um centavo? Você não é estúpida, tampouco uma alienada. Então, não, você não é uma deles.

— Você fala de mim como se me conhecesse, como se tivesse certeza das informações.

— Eu te conheço e estou muito seguro sobre as coisas que te falo.

— Como me conhece?

— Eu faço as perguntas e você responde, Babi.

— Não me chame de Babi.

— É seu apelido.

— Somente para meus amigos e familiares. Você não é nem uma coisa nem outra.

— Engana-se. Sou o único amigo que você tem aqui e espero que possa perceber isso antes de ter sua cabeça arrancada do pescoço ou quem sabe uma bala no meio do peito.

Ele se levantou, parecendo irritado, e saiu do quarto, deixando-a confusa e muito preocupada com o curso que as coisas estavam tomando.

Quando Murilo entrou na sala de reunião, todos os olhos se voltaram para ele. A ruiva sorriu simpática. Já Dylan ergueu o olhar, que estava concentrado em uns papéis, de forma pouco amigável, falando secamente com os outros:

— Esse é o agente Murilo Marconi.

As cabeças acenaram silenciosamente e Murilo tomou um assento, observando um a um os caras na sala. As expressões sérias não denunciavam nenhuma tensão, logo, podia-se entender que risos e brincadeiras fora de hora não seriam tolerados. Não que ele fosse adepto a esse comportamento, mas, no Brasil, as reuniões eram sempre bem-humoradas e tudo dava razão para uma piada no final da história.

Dylan começou a falar.

— O cartel colombiano de Julián Martinez é a principal fonte do comércio ilegal de compra e venda de drogas que têm entrado nos Estados Unidos nos últimos anos. Temos alguém daqui que facilita a entrada dos produtos junto aos federais e precisamos saber quem é. Esse é um dos pontos da missão. Temos que descobrir a pessoa que mexe os pauzinhos dentro da imigração e dos departamentos de polícia. É alguém importante e influente, do contrário, já teria sido pego. As mensagens codificadas foram adotadas para assegurar que as negociações "no escuro" sejam mais eficazes e seguras, protegendo a identidade dos envolvidos, que geralmente são pessoas que têm uma imagem a zelar junto à sociedade.

— Em outras palavras, Julián Martinez não conhece seu facilitador?

— Não. Tudo é feito através de contatos. Nem o traficante arrisca a pele dele, nem tampouco os outros.

— Temos uma pista de quem são os facilitadores?

— Nenhuma. Políticos, empresários e até celebridades internacionais podem estar envolvidos.

Dylan continuou seu relatório.

— Segundo o dossiê que nos foi entregue, a garota que temos aqui tem trabalhado para Julián decodificando as mensagens dele há pouco mais de um ano. Ela é considerada boa no trabalho. A melhor no ramo, para ser mais exato. Nunca errou e pode ser bastante rápida, mesmo quando a mensagem apresenta um grau alto de dificuldade. Há quem diga que existe até um desafio interno entre as partes para testar quão difícil o codificador pode tornar a mensagem contra quão veloz e perspicaz a decodificadora pode ser para decifrá-la.

— Brincam de apostar em cima da habilidade dela? Caralho, se ela errar ou não compreender o teor da mensagem, uma operação inteira se perde! Não é como se ela pudesse não reconhecer os códigos, é quase uma obrigação.

Um riso sobressaiu nos lábios dos homens da sala. Um deles comentou divertido:

— São uns filhos da puta que se divertem com o perigo.

Dylan também sorriu, como se concordasse.

— A rede é extensa, então, temos que nos deter em alguns pontos principais. Os federais querem a rota de entrega, por isso esse será o primeiro ponto a ser tratado, depois o codificador, porque ele recebe as ordens do facilitador do processo. Julián Martinez é uma missão à parte. Com seu negócio de exportação interceptado, ele estará propenso a reagir, e nós estaremos lá para fazer a retaliação.

— E então tudo volta para a garotinha superpoderosa que recebe as mensagens. Afinal, alguém tem que entregar e receber os valiosos códigos decodificados, não é?

— Está certo, Sam, e nosso tempo é mínimo. Esperamos que o agente Marconi possa ter um resultado tão eficaz quanto seu comportamento "bom samaritano" de agora há pouco.

Houve risos abafados e Murilo também sorriu. O homem estava puto com ele e não ia esquecer a afronta. O comandante fez sinal para que ele falasse.

— O contato de Julián envia uma mensagem SMS com o local e a hora. Telefone não rastreável. O homem tem uma equipe de segurança tecnológica de primeira qualidade. Nunca conseguimos interceptar ou reconhecer os envios. Os lugares sempre são muito badalados e geralmente ocorrem à noite. Ele é um gatuno, rápido e escorregadio. A garota tem o prazo de uma semana para apresentar o resultado. O segredo consiste em saber como ela entra em contato para entregar o chip, uma vez que o telefone dela não apresenta nenhuma chamada ou envio de SMS não convencional. Rastreamos os computadores e todos os aparelhos eletrônicos no apartamento dela e nada.

— Grampearam o telefone fixo ou colocaram câmeras no apartamento?

— Mais de uma vez e nada. É uma incógnita ainda.

Dylan se manifestou.

— E sobre o irmão?

— Ele desapareceu. Sumiu. Evaporou. Simplesmente ninguém é capaz de dizer nada sobre ele. Ela também não fala sobre o garoto. Muitos dos conhecidos sequer sabiam que ela tinha um irmão.

— Estou certo de que há uma ligação entre o garoto e os trabalhos dela para o colombiano. Talvez o menino esteja envolvido na rede.

— Não creio. Apostamos em sequestro.

Dylan se remexeu e recostou seu corpo na cadeira, avaliando a informação.

— Pode haver fundamento.

— Sim. Nossa agência no Brasil não consegue rastrear uma única informação sobre o menino. Ao que parece, os registros foram apagados, como se ele nunca tivesse existido. Na escola, dizem apenas que ele abandonou os estudos sem justificativas. O registro desapareceu misteriosamente dos arquivos da secretaria. Os vizinhos não sabem informar sobre ele. Era um garoto comum, de hábitos simples e boa convivência com as pessoas. A tia que o criou disse que ele não faz contato há muito tempo e a irmã explica que ele foi morar no interior do estado. Há contradições nos motivos, entretanto. Para alguns, ele foi estudar; para outros, trabalhar. É quase certo de que há um dedo do Sr. Martinez nessa história. Seria um meio eficaz de obrigar Bárbara a executar a tarefa sem custos e com agilidade, uma vez que eles eram muito unidos.

— Sem custos?

— Sim. A conta bancária dela foi verificada mensalmente ao longo do ano e nada além do salário como bartender foi constatado nos extratos bancários. Não há outras contas sendo movimentadas no nome dela ou com qualquer outro nome que pudesse ter ligação com ela, o que nos leva ao fato de que ela trabalha "de graça" para ele.

— Isso é interessante.

— Em outras palavras, Babi provavelmente não é parte da rede por livre e espontânea vontade, o que não faz dela "uma deles", porém, ela não dará uma merda de informação se pensar que isso pode prejudicar o irmão.

— Você sabe que temos um prazo apertado para conseguirmos a mensagem.

— Sei. Se nossos dossiês estiverem corretos, ele faz contato entre o penúltimo e o último fim de semana do mês. Assim, ela precisa estar no bar amanhã à noite, quando provavelmente o mensageiro irá procurá-la, ou um dia depois.

— Acredita que ela não tem a mensagem?

— Estou certo de que ela não a tem, comandante.

— E o que te faz ter tanta certeza?

— Meus contatos, minhas informações levantadas ao longo dos meses e o fato de que ela me disse que irá receber o trabalho em um ou dois dias, no máximo.

Os agentes se remexeram, curiosos.

— Ela te disse isso?

— Sim.

Dylan curvou-se sobre a mesa.

— Acredita na palavra dela?

— Sim.

— Por quê?

— Porque eu a conheço o suficiente para saber que está falando a verdade.

— Você está muito confiante, agente Marconi. Meu contato na Colômbia diz que ela já tem a mensagem.

— Seu contato errou.

O comandante pensou um pouco. Seu contato estava infiltrado no cartel há mais de um ano, colhendo dados, estudando os fatos e observando de perto os meios de Julián Martinez trabalhar. Uma informação errada vinda dele levava Dylan a duas opções prováveis: ou seu agente disfarçado tinha sido descoberto de alguma forma ou ele tinha se corrompido. As duas probabilidades eram muito ruins.

— Vamos trabalhar com a hipótese de que eu estou considerando suas informações. Qual seria o próximo passo?

— Devolvê-la ao trabalho para que ela possa colher a mensagem a ser decodificada. Talvez tenhamos sorte em identificar o contato do facilitador no ato da entrega ou da retirada do chip, apesar de isso ser pouco provável.

— Se puder tirar dela as informações sobre a abordagem dele nessas duas situações, isso facilitaria o reconhecimento. Talvez ela saiba quem ele é, mas duvido que nos leve à pessoa tão facilmente.

— Ela não o faria. Não sabe o que somos e por isso não pode confiar. Teremos que trabalhar com a verdade para construir essa parceria confiável com ela.

— Não. Ela pode nos delatar para o traficante na primeira oportunidade.

— Ela não é uma deles, comandante.

— Essa é a sua opinião, não a minha. Não vou arriscar comprometer a identidade de todo o meu time por confiar em alguém que direta ou indiretamente está ligado ao maior traficante de todos os tempos.

Por mais que aquilo o aborrecesse, Murilo tinha que concordar com seu chefe. Ele sabia quem ela era, o que fazia, seus hábitos, mas não esperava que Dylan confiasse na sua avaliação tão abertamente. Ele não era o maior e mais respeitado líder da maior agência de trabalhos de operações especiais e não governamentais do país por confiar cegamente em hipóteses.

— Precisamos que ela saiba pelo menos de parte dessa operação se quisermos que coopere rapidamente.

Dylan avaliou os prós e contras. Todos os agentes aguardavam em silêncio enquanto o chefe claramente ponderava os fatos. Depois do que pareceu muito tempo, ele falou:

— Ela deve achar que somos uma organização criminosa concorrente à de Julián. Nomes e identidades novas serão atribuídos aos agentes para que ela não possa rastrear nenhuma informação verdadeira. Converse com ela na sala de interrogatório, onde poderemos ouvi-los sem sermos vistos. Se ela for cooperativa, o time será apresentado e amanhã estarão todos no Brasil.

O comandante se levantou e deu ordem para que Lorena levasse Bárbara de volta à sala de interrogatório.

Todos se dirigiram para lá e tomaram seus assentos em frente à grande parede de espelhos. Os microfones foram ligados. Murilo entrou na sala e aguardou que Babi fosse trazida.

Assim que ela entrou, a ruiva os deixou sozinhos e fechou a porta, se dirigindo para junto do time oculto atrás da falsa parede.

Babi tinha pensado e repensado suas possibilidades e em como sairia viva dessa enrascada. A moça chamada Lorena apareceu e fez sinal para que ela a seguisse.

Quando viu o destino que a esperava, bufou impaciente. Novamente a sala de interrogatório. Ela encarou o rapaz que a tinha tirado de lá algumas horas antes e foi logo falando:

— Isso já está ficando sem graça, sabe?

— Aqui dentro vamos falar apenas em inglês, Babi.

O fato de ele usar outra língua com ela, mesmo sendo brasileiro, a fez pensar que a conversa estava sendo ouvida. Merda ao cubo era o que parecia toda essa situação, e ela pensou que podia dizer meias-verdades para tentar convencê-los a deixá-la partir.

— Tudo bem. O que quer de mim?

— Quero saber onde está o seu irmão Tiago.

Ela empalideceu e Murilo soube que tinha ido direto ao ponto da questão. Com certeza, o dossiê que recebeu da unidade de combate ao narcotráfico estava na pista correta.

— Ele foi...

— Estudar no interior?

Babi olhou para ele, incerta. O agente continuou:

— Resposta errada. Vou perguntar de novo: onde está o seu irmão?

— Por que quer saber dele?

— Porque eu acredito que ele esteja ligado ao Sr. Martinez.

— Ele não tem nada a ver com Julián.

— Será que não? Eu penso diferente.

— O que você pensa não é da minha conta.

— O que eu penso e o que eu posso executar apenas seguindo meu palpite, e devo te informar que tenho quase certeza de que é um palpite muito bom, pode levar seu irmão à morte com apenas um telefonema em poucos dias.

Babi estremeceu por dentro e, embora ela parecesse muito segura, Murilo pegou o fio condutor que sabia ser o ponto fraco dela.

— Você está blefando.

— Você pode pagar pra ver Babi. Ou pode trabalhar comigo e poupar a vida do Tiago.

— Como inferno você sabe tanta coisa sobre a minha vida?

— Eu faço as perguntas aqui. Eu quero saber onde está a porra do seu irmão e qual é a merda da ligação que ele tem com o traficante Julián Martinez.

Dylan ouvia satisfeito o interrogatório. Não esperava que o agente fosse por esse caminho. Ali na Base eles estavam certos de que o irmão da moça tinha algum envolvimento com o tráfico, mas faltavam exatamente as informações que o agente brasileiro estava usando contra a garota.

Era óbvio, pelo tom de voz do agente Marconi, que o homem estava seguro do que fazia e não era tão suave quanto ele imaginou. Bom negócio ele ter ligado para o comandante brasileiro e pedido aquele homem como suporte.

Os demais agentes prestavam atenção aos dois dentro da sala. A postura do homem era certamente intimidante. A pequena decodificadora estava visivelmente desconcertada com a firmeza e a austeridade dele.

Depois de alguns minutos, Bárbara falou com a voz baixa:

— Ele foi feito refém. Julián o mantém no cartel.

— Por quê?

— Porque é a única forma de fazer com que eu trabalhe para ele. Satisfeito agora?

— Ainda não. Qual é o prazo de trabalho estipulado pelo colombiano?

— O que quer dizer?

— Com certeza ele não vai manter Tiago preso pelo resto da vida. Deve haver um acordo entre vocês.

— Olha pra mim. — Ela abriu os braços, desanimada. — Acha mesmo que eu tenho cacife para exigir alguma coisa do lorde das drogas? Ele manda, eu obedeço, e espero fielmente que um dia ele possa me entregar o meu irmão de volta.

— Sabe o que vai acontecer, não é?

Um calafrio percorreu a espinha de Babi. Sabia o que ele estava insinuando. Tinha pensado nisso muitas vezes, mas dizia a si mesma que não podia perder a fé, que Julián cumpriria sua palavra.

— Não sei do que você está falando.

— Sabe perfeitamente. Assim que Julián não precisar mais dos seus serviços, ele vai colocar uma bala na cabeça de Tiago e outra na sua.

— Cala a boca!

— Seu irmão agora é um arquivo vivo que vai se tornar um risco para ele quando a operação toda acabar.

— Não.

— Sim. Ele simplesmente vai fazer uma queima de arquivo, Babi. Você está trabalhando em vão. Não vai salvar seu irmão.

— Seu idiota! Bastardo inútil!

Ela o xingou em português e ele a repreendeu.

— Em inglês, Babi. Sempre em inglês.

A imagem do irmão com uma bala na cabeça explodiu na mente dela e Babi gritou desesperada, novamente em português.

— Para com isso! Você está tentando me torturar? Me deixe em paz!

— Use inglês aqui dentro. Não crie mais problemas do que já tem.

Murilo deixou que ela se acalmasse. Bárbara ia de um lado para o outro da sala, tentando tirar a imagem que havia se infiltrado em seu cérebro.

— Babi, vou levá-la de volta ao Brasil para receber a mensagem codificada. Você fará o seu trabalho e me entregará a tradução antes de enviá-la de volta ao Julián. Vai fazer isso sem dizer uma única palavra pra ninguém sobre o que se passou aqui ou sobre as pessoas que vão estar com você. Podemos te ajudar com seu irmão, se você colaborar.

Ela olhou para ele com olhos magoados. Murilo sentiu seu coração minguar diante da dor que viu estampada no rosto da garota. Estava acompanhando sua vida há uns meses e, se tinha alguém que não merecia passar por algo tão duro, esse alguém era ela.

Mas ele tinha um trabalho a fazer e sabia que o temperamento da bartender não era dócil, por isso ele precisava se impor. Seria pelo bem dela e do irmão que ela não via há mais de um ano. Valeria a pena lutar contra as resistências dela e obrigá-la a aceitar certas condições.

— Você não entende? Ele me vigia e tem acesso fácil a mim. Ele vai me matar assim que perceber algo estranho.

— Você não estará sozinha. Terá proteção.

— De quem? Quem é você?

— Meu chefe quer falar contigo, mas só vai fazer isso se você colaborar. Você tem duas opções aqui, Babi: ou colabora por bem, ou colabora por mal.

— Grande opção. — Ela inspirou profundamente. — Tudo bem. Faço como mandarem.

Sam olhou para Dylan, que estava obviamente muito satisfeito com o agente brasileiro.

— Porra, ele é bom!

— Acho que sim.

— Acha que sim? Dez minutos e ele a trouxe para o grupo.

Fritz e Jason também comentaram.

— Um agente de informação muito treinado e focado. Seria bom tê-lo no grupo como uma força-tarefa de apoio permanente.

Ramon sorriu porque sabia que o que ia dizer irritaria o chefe.

— Um novo gênio latino pra fazer par com o meu temperamento muito sociável.

Dylan fuzilou-o com o olhar.

— Você, Ramon, é o responsável pela minha enxaqueca diária, com seu maldito hábito de estourar por pouca bosta. Passo mais tempo encobrindo suas cagadas, por causa do seu temperamento do cão, do que planejando as missões que recebo. Não preciso de mais um sangue latino fodendo minha vida por aqui.

Os agentes riram. Era a mais pura verdade. Ramon era um agente perfeito, especializado em logística e com uma visão estratégica sem igual. Tinha um tiro certeiro e podia ser uma máquina de matar, se precisasse, sem culpas e sem remorso. Mas seu temperamento era algo com o qual ninguém queria lidar. O cara era uma bomba-relógio que explodia fácil e Dylan já teve muitos problemas por causa disso.

O comandante saiu do ambiente e os demais o seguiram. Eles voltaram para a sala de reuniões, onde receberam as primeiras instruções da tarefa.

— Identidade paralela 2 assim que ela entrar pela porta.

Todos consentiram. Sabiam quem deveriam ser para Bárbara. Tinham quatro conjuntos de identidades paralelas às suas verdadeiras, cada uma com um disfarce que daria cobertura a eles para uma determinada missão.

A paralela 2 era a mais leve, função guarda-costas, apenas para ser usada em casos de investigação oculta, supervisão de hábitos e averiguação de informações. Eles seriam acompanhantes da garota, sombras que a seguiriam nos próximos dias para todos os lugares, revezando locais e turnos para que nem sequer um minuto passasse sem que ela estivesse sendo observada.

A dificuldade da língua seria superada, uma vez que Ramon podia compreender o idioma e o agente brasileiro estaria sempre com eles. Lorena entrou na sala trazendo café para todos. Os homens estavam se servindo quando Murilo chegou, com uma Bárbara muito receosa.

A garota olhou a imensa sala toda requintada e cheia de tecnologia, e observou os olhos que a fitavam. *Jesus! Devia ser pré-requisito ser alto, forte e lindo para trabalhar nesse lugar.* Ela fez uma análise rápida dos sujeitos ali dentro. Eram homens com H maiúsculo e tudo mais que se podia esperar de quem gostava de testosterona pura e da melhor qualidade. O mais baixo devia ter um metro e oitenta e cinco, no mínimo. Eles tinham tórax tipo muralha e largura quatro por quatro.

Os homens eram grandes. Se ela se desse ao luxo de se relacionar convencionalmente, estaria babando muito agora. Ela voltou seus olhos para o brasileiro. Ele era bonito de dar nós nas tripas. Era tão alto quanto os estrangeiros, mas os traços e a pele bronzeada delatavam sua nacionalidade.

Dylan puxou uma cadeira e todos o imitaram. Babi permaneceu em pé, e ele fez sinal para que ela se sentasse. O comandante foi direto ao ponto:

— Uma vez que está de acordo em colaborar conosco, será enviada de volta ao Brasil em algumas horas. Nossa equipe te acompanhará e estará com você nos próximos dias até que a mensagem seja entregue. Precisamos saber qual é a forma de abordagem do facilitador e, claro, quem é ele.

— Nunca é a mesma pessoa.

— Homem? Mulher?

— Algumas mulheres no decorrer do ano, mas na maioria das vezes são homens.

— Seguem um padrão?

— Não.

— Como te entregam o chip?

Ela deu de ombros.

— Isso varia também, mas ocorre de maneira muito imperceptível. Já aconteceu de eu não ver quem o colocou na minha mão ou no bolso da minha calça. Eles se aproximam no meio do tumulto da balada, ou do serviço, e eu nem vejo quem foi.

— E como você faz para entregá-lo?

Ela ficou nervosa e eles perceberam.

— Tenho uma linha direta com alguém que trabalha no cartel.

Dylan estreitou os olhos e fez sinal com os dedos para que ela continuasse.

— Tenho um celular que está programado para fazer ligações diretas para essa pessoa.

— E quem é a tal pessoa?

— Não sei.

Murilo a olhou, surpreso. Aquilo era uma novidade e tanto. Nunca tinha conseguido saber como eles eram avisados de que o trabalho estava pronto.

— Um celular não rastreável?

— Sim.

— E onde ele está?

— Em um fundo falso dentro do balcão de atendimento do bar onde trabalho.

— Suponho que você fala com seu irmão através desse celular.

— Supõe bem.

— É a maneira que lhe garante saber que ele está vivo?

— Sim.

Dylan se levantou e falou para toda a equipe.

— Muito bem. Estejam prontos em duas horas. Tenho um avião particular que os levará a São Paulo.

Assim que a reunião terminou, Murilo foi para o quarto. Ele estava muito cansado da viagem, do interrogatório e das reuniões. O agente tirou a roupa e entrou debaixo do chuveiro. A imagem da pequena decodificadora vestida com o roupão preencheu sua mente.

Ela era uma tentação divina. Linda, perfeita e absolutamente sexy. Há meses ele acompanhava a vida dela secretamente, e só por hoje ele podia fingir que ela estava ali com ele, podia fantasiar que as mãos dela estavam tocando seu peito molhado e escorregando lentamente pelo seu abdômen.

Seu membro ficou rijo e ele segurou a base, desejando que fossem os dedos delicados dela ali. Com certeza ela o seguraria firme e moveria com delicadeza no início, mas ele pediria para ela usar força e ela o faria porque desejaria agradá-lo.

A mão dela masturbaria seu pau enquanto a boca dela deslizaria pela sua, por seu rosto, por seu pescoço. Ele apalparia os seios dela e a faria gemer em seu ouvido, e ele também gemeria. E, para surpreendê-lo, ela se ajoelharia na frente dele e tomaria seu membro na boca com gula e prazer.

Ela o chuparia desesperadamente e ele estocaria em sua boca linda até que gozasse muito.

Murilo apertou o pau em suas mãos. Com os olhos fechados, ainda imaginava que era Babi ali e, então, sua mente fantasiou que eles gozavam juntos, e ele sentiu sua semente jorrar quente em sua mão. Murilo abriu os olhos e olhou para baixo, sorrindo. Céus, tinha gozado nas mãos como um menino de quatorze anos. Teria sido melhor se estivesse de fato com a garota que roubava seus sonhos há tempos, mas, ainda que tenha sido apenas uma fantasia, tinha sido bom. De fato, foi ótimo.

Ele terminou o banho e se meteu na cama, adormecendo quase que de imediato.

# CAPÍTULO 3

**"A amizade e a lealdade residem numa identidade de almas raramente encontrada."**

**Epicuro**

Dentro do avião, que mais parecia uma suíte luxuosa de um resort nas Bahamas, Babi pensava em suas alternativas. Tinha dito algumas meias-verdades e não sabia até que ponto isso a afetaria.

O importante era que estaria de volta ao trabalho sem muitos danos, e o melhor: ia poder receber a mensagem de Julián. Quanto a dá-la de boa vontade ao brasileiro, isso era outra história.

Se tinha que ser leal a alguém, seria a Julián, que mantinha seu irmão aprisionado. De jeito nenhum arriscaria a vida de Tiago entregando a chave de uma operação internacional que custaria milhões de prejuízo ao traficante às pessoas de quem nunca ouviu falar.

Inicialmente, ela pensou que aqueles caras e a ruiva eram policiais federais, mas agora começava a achar que eram algum tipo de grupo rival de Julián.

Os homens estavam muito confortáveis em suas poltronas luxuosas e pareciam relaxados. Um deles era loiro, de cabelos muito curtos na nuca e um pouco mais longos na franja, que caía sobre seus olhos intensamente verdes. O homem usava brincos na orelha e parecia muito concentrado na leitura de um jornal americano bastante popular.

Outro sem dúvida era latino, com pele bronzeada, olhos amendoados, lábios generosos e muito convidativos, como diria seu amigo Will. Ele ria de alguma bobagem que estava assistindo no iPad.

Ao lado deste homem estava outro, de cabelos escuros compridos e repicados, na altura dos ombros, olhos bem azuis e, dentre todos, era o mais sério sempre. Vez ou outra o homem olhava para ela, pensativo, avaliando-a.

Por último, ela olhou discretamente para o outro homem sentado mais distante. Cabelos acobreados, pele branca, olhos cor de mel e traços perfeitos. Parecia um modelo de capa de revista.

O chefe era tão bonitão quanto seus homens, mas não estava no avião, tampouco a ruiva de corpo assassino. Bárbara suspirou cansada, e, antes que pudesse fingir que ia dormir, viu o grande e musculoso brasileiro sentar ao seu lado.

— Admirando a paisagem masculina a bordo?

Ela não se fez de desentendida. Sabia que ele a havia pegado em sua avaliação física minuciosa feita silenciosamente minutos antes. Babi balançou os ombros como se não tivesse considerado o resultado muito interessante.

— Apenas verificando.

— Algum deles faz seu tipo?

— Nenhum.

— Você parecia bastante interessada.

— Apenas averiguando.

— Que tipo de averiguação?

— Não é da sua conta.

Ele riu e ela tentou desviar o foco.

— Qual seu nome?

— Alan.

— De qual lugar do sul?

Murilo sabia que seu sotaque era muito evidente, ainda que estivesse em São Paulo há mais de dez anos.

— Porto Alegre.

— Vai me dizer o que vocês são?

— Não. Deixarei sua mente inteligente trabalhar na questão.

— Devem ser terroristas sanguinários.

Ele gargalhou e os outros olharam para eles, curiosos.

— Vivemos nos Estados Unidos, não no Iraque.

— Policiais?

— Não.

— Agentes?

— Não.

— Mercenários?

— Talvez.

— Traficantes.

— Quem sabe?

Ela bufou, irritada. A comissária de bordo trouxe café, que ela aceitou de bom grado. Enquanto bebericava, sentiu a avaliação muda do homem ao seu lado. Os olhos perspicazes iam e vinham sobre ela de maneira intimidante.

— O que está olhando?

— Você.

— Isso eu sei. Quero saber por quê.

— Como Julián soube de sua habilidade com os códigos?

Babi percebeu que ele respondia apenas o que queria. Isso a enfureceu. Ela estava presa a uma situação que a obrigava a cooperar com pessoas que não tinha a mínima ideia de quem eram e arriscavam deliberadamente a vida de seu irmão sem se darem ao trabalho de ao menos se identificarem.

Precisaria falar com Julián o quanto antes. Que se danasse todos esses deuses gregos que a cercavam. Ela não sabia nada sobre eles e jamais colocaria a integridade física do irmão em risco.

— Babi, nem pense em fazer nenhuma estupidez.

— Não estava pensando nisso.

— Estava sim.

— O quê? Você é algum tipo de sabe-tudo universal?

— Não, mas leio expressões faciais com precisão. Seu rosto me diz que está pensando em uma rota de fuga. Não vai dar certo.

Diante do silêncio dela, ele repetiu a pergunta anterior.

— Agora, seja boazinha e me responda como Julián soube de sua habilidade com os códigos.

— Através de uma rede de jogos on-line.

Murilo bufou indignado.

— Jogos on-line? Não acredito.

— Pode acreditar. Eu tinha o hábito de jogar em rede. Um dos desafios era decodificar os enigmas para passar as fases. Eu fui avançando porque era a única que conseguia passar pela codificação. Julián estava desesperado atrás de alguém que pudesse lidar com esse tipo de trabalho porque o negociador dele se recusava a mandar mensagens convencionais. Ele tinha tentado alguns profissionais, mas todos esbarraram em algum ponto.

— E o que era uma diversão se tornou um pesadelo.

— Sim.

— Como foi o sequestro do Tiago?

— Ele foi para a escola e simplesmente não voltou. Recebi as imagens dele preso no cartel junto com a mensagem a ser decodificada. E não parou mais.

— Você já falou com Julián alguma vez?

— Não que eu saiba.

O agente se virou na poltrona para olhar para ela.

— Presta atenção. Não fode tudo tentando avisá-lo sobre nós. Estou falando sério, Babi. Teríamos que impedi-la e isso não seria suave.

— Não precisa me ameaçar.

— Sinto necessidade de te advertir sobre isso porque odiaria ver essa sua linda pele machucada ou algum dano permanente nesse seu corpo delicioso.

Ela o olhou, indignada com a ousadia.

— Duvido que se importe de verdade. Agora, se me dá licença, vou dormir um pouco.

Ela deu as costas para ele, e Murilo sorriu. Já sabia que ela era resmungona e habituada a revidar. As ameaças não eram de todo verdadeiras, mas precisava que ela pensasse duas vezes antes de fazer besteiras.

Ele conhecia aquele olhar dela. Conhecia a maioria dos seus hábitos e também seu pequeno segredinho. Surpreendeu-se em vê-la avaliar os agentes tão vorazmente. Até onde sabia, não era a praia dela, mas talvez estivesse enganado, ou quem sabe, talvez ela estivesse enganando a si mesma.

Meia hora antes de o avião pousar, ele a acordou porque precisava lhe dar as coordenadas. Dylan o tinha colocado como chefe da operação pelo fato de ele ser brasileiro, por isso sua responsabilidade no caso era ainda maior.

Enfiou uma xícara de café nas mãos de Babi e esperou que ela estivesse desperta antes de começar a falar. Os agentes voltaram suas atenções para ele, que obviamente se comunicou em inglês.

— Vamos direto para seu apartamento. Você ficará por lá enquanto eu e os outros organizamos as coisas. Diego lhe fará companhia. — Ele indicou com o dedo o mexicano Ramon, que usava sua identidade provisória para o caso. — À noite, você vai trabalhar normalmente. Se alguém perguntar alguma coisa, diga que faltou ao trabalho porque esteve em observação no hospital por alguma indisposição, mas que já está bem. Se alguém checar, esta informação estará inserida no sistema e não parecerá que você mentiu.

"Nós vamos estar no bar que você trabalha, observando o movimento. Finja que não nos conhece. Não faça contato visual por nenhum motivo. NENHUM. Estamos aptos a identificar qualquer movimento diferente. Sirva-nos como serviria qualquer outro cliente, e tente se portar com naturalidade e confiança."

— Sei como me portar no meu trabalho.

— Espero que sim.

— É só isso?

— Não.

Ele se dobrou sobre ela e fitou-a profundamente. Os demais observavam com expressão neutra.

— Um movimento em falso, uma palavra, um sinal, uma tentativa de fugir ou de nos entregar, e você lamentará pelo resto da sua vida.

Ela revirou os olhos, fazendo pouco caso, mas estava temerosa com todos aqueles caras olhando-a e reafirmando a ameaça do brasileiro. Murilo ignorou o medo que viu em seus olhos e continuou:

— Apenas para se sentir mais segura, é melhor que conheça a equipe da qual faz parte temporariamente.

O loiro alto, cujo nome verdadeiro era Jason, foi apresentado como James. O moreno de cabelo comprido chamado Samuel passou a ser Mike. O latino Ramon era agora Diego e, por fim, o alemão Fritz assumiu a identidade de Tobias.

Murilo tinha se dado o nome de Alan porque já o havia usado em outras operações secretas. Enquanto eram apresentados, os homens acenavam sem muita simpatia e ela sentiu um calafrio na espinha.

Dentro do táxi, rumo à sua casa, Babi observava o trânsito intenso de São Paulo. Ela olhou várias vezes para trás, onde os agentes a seguiam em um carro que os esperava no aeroporto.

Os caras tinham tudo à mão e também alguma influência porque os malditos entraram até no sistema operacional do hospital local. Ela estava ferrada. Ferrada e mal paga. Não tinha a mínima ideia de onde tudo isso iria parar.

Babi encontrou o apartamento exatamente como o deixou. Era um lugar pequeno, mas aconchegante, e com certeza não conseguiria acomodar mais cinco pessoas ali dentro. Nem em sonho um deles iria se hospedar com ela. Eles que usassem a dinheirama que pareciam dispor e alugassem um lugar para ficar.

Ela foi direto para a cozinha preparar seu café coado, adoçado com açúcar — nada de adoçantes — e muito, muito quente. Era assim que ela gostava. Os homens entraram sem cerimônias e andaram por todo o pequeno local. Murilo foi até a cozinha levando os pertences eletrônicos dela que Babi nem sabia que haviam sido retirados dali. Ela pegou o celular e checou as chamadas.

— Bisbilhoteiros vocês, hein?

— Muito.

— Privacidade zero, pelo que vejo.

— Abaixo de zero, mocinha.

Babi bufou. Ela pegou seu café, foi até a sala e colocou a secretária eletrônica na tomada para ouvir os recados. Murilo serviu café aos demais enquanto discutia alguma coisa com eles na cozinha, mas Babi não estava interessada. Ela se sentou na sua poltrona e prestou atenção nas gravações.

Como não podia deixar de ser, seu melhor amigo Will foi a primeira voz que ouviu.

— Docinho. Onde você se enfiou?

Um minuto depois.

— Me liga agoooooora... tenho *novis* pra você, lindinha!

Meio minuto depois.

— Babi, querida, me liga agora, já, nesse instante, ou atende seu celular fofíssimo.

E mais outro.

— Bárbara Savi. Estou me depilando com as unhas, docinho. Não me deixe preocupado.

Ela sorriu. Will era gay, no último estágio de "mamãe-eu-sou-gay" que alguém podia alcançar. Era um amigão, fiel e preocupado. Ela o amava.

Babi discou o número do amigo, que atendeu ao primeiro toque.

— Espero que esteja inteira e com as pernas boas para correr porque estou furioooooso com você. Onde esteve?

— Por aí.

— Babi, querida, você é uma vaca, da mais gorda e leiteira.

Ela teve que rir alto.

— Estou bem, Will. Só dei um tempo pra minha cabeça.

— Um tempo para a cabeça? Vai desembuchando, mulher, quem é?

— Quem é o quê?

— Quem é a gata borralheira que passou a noite na sua cama?

— Ninguém.

— Você sabe que sua Cinderela surta só de imaginar, né?

— Não é nada disso, Will.

Ela se virou e todos os olhos a encaravam. Murilo explicava aos demais que ela estava falando com um amigo e que ele era gay. Como diabos ele sabia com quem ela falava, e ainda a escolha sexual do seu amigo?

Babi se sentiu desconfortável.

— Will, eu falo com você hoje à noite.

— Tudo bem. Ela está aí, né? Eu sei, eu sei. Vejo você à noite.

Babi desligou o celular e perguntou irritada a Murilo:

— Como sabia que eu estava falando com meu amigo? E como sabe sobre ele?

Murilo ergueu um aparelho que segurava em sua mão.

— Seu celular está conectado com os nossos via satélite, docinho.

Ele sorriu com o escárnio da sua própria voz, por imitar Will. Ela olhou incrédula para seu telefone.

— Saberemos com quem falou, o que falou e quanto tempo durou a ligação, além do teor das mensagens que enviar e receber.

— Todos vocês têm acesso livre ao meu telefone?

— Todos nós.

O maldito sorriu novamente e acrescentou:

— Privacidade abaixo de zero. Eu te disse.

Babi não disfarçou a fúria que comprimiu seu peito. Antes de ela dizer alguma coisa, Murilo falou:

— Nem pense em trocar o chip, porque saberemos de imediato, e, bem... — Ele olhou-a muito divertido antes de completar a frase. — Tome cuidado com o que fala com a sua Cinderela porque fatalmente vamos ouvir.

O que aconteceu em seguida foi tão rápido que ela nem pôde pensar sobre o que fez. Babi pegou um pequeno vaso que enfeitava o ambiente e atirou bem em cima dele.

O rapaz foi veloz em desviar e virou para trás a tempo de ver o vaso se despedaçar na parede. Os outros agentes agora riam descaradamente dele. Até mesmo Murilo estava rindo com a reação dela.

Babi entrou em seu quarto e fechou a porta. *Que humilhação!* Um monte de idiotas desconhecidos ouvindo e lendo tudo que chegava até ela. Maldita hora que foi acessar aqueles jogos on-line.

Ramon se esticou no sofá e ligou a televisão. Os colegas tinham saído para arrumar o local onde iriam ficar por esses dias. Eles iam passar no bar onde Babi trabalhava para adicionar secretamente alguns grampos aos telefones e instalar uma câmera wi-fi para terem visibilidade do local vinte e quatro horas por dia.

Bárbara abriu a porta do quarto e olhou para o homem com rancor. Ela vestia um roupão de banho e passou direto para a cozinha. Serviu-se de mais um pouco de café e ouviu o telefone fixo tocar. *Que merda, com certeza esse também estava grampeado e as conversas seriam ouvidas.* Sem muito entusiasmo, a bartender atendeu a ligação.

— Alô.

— Oi.

Babi suspirou cansada. A última pessoa com quem gostaria de falar agora era Laura. Seria complicado sair dessa neste momento.

— Ei.

—Você tá sumida. Will me disse que faltou ao trabalho. Está tudo bem?

— Tudo certo.

— Por que você não foi trabalhar?

— Tive que resolver uns assuntos.

— Que assuntos?

— Pessoais.

— Você está estranha.

— É apenas cansaço. Preciso de férias.

— Quero te ver.

— Não vai dar.

— Está me dispensando?

— Laura, por favor. Podemos conversar outra hora?

Houve silêncio e, em seguida, o telefone foi desligado. *Merda. Laura ia dar piti*. Babi sabia disso e era uma péssima hora para esse tipo de problema. Ramon a encarou.

— Problemas com a Cinderela?

— Não é da sua conta.

Ele riu e se levantou para pegar café. Ramon olhou os armários e viu que estavam quase vazios.

— Temos que ir ao mercado.

— Vá você, se quiser. Eu tenho que me arrumar para ir trabalhar.

— Sua princesa é bonita?

—Diego, eu não tenho outra opção a não ser te tolerar aqui dentro, mas isso não significa que eu deva satisfação da minha vida particular.

— Seria bom mantermos uma boa convivência.

— Não pra mim.

Ele deu de ombros e tirou do armário um pacote de biscoito que estava pela metade. Em seguida, encheu sua xícara de café e voltou a se sentar na sala.

Babi foi para o quarto e arrumou sua mochila com algumas coisas que precisava para trabalhar. Depois, tomou banho, secou os cabelos e voltou para a sala, colocando a mochila no sofá.

— Temos que ir.

Ramon olhou-a, medindo-a de cima a baixo.

— Temos que esperar o time.

—Eu preciso estar lá em quarenta minutos, no máximo. Meu chefe vai comer o meu fígado por ter faltado dois dias sem avisar.

O homem tirou o celular do bolso e discou um número, falando baixo e rapidamente com alguém, e desligando em seguida.

— Vamos.

— Vai andar de metrô comigo?

— Vamos de táxi.

— Cheios da grana, hein?!

O homem não respondeu. Eles saíram juntos, mas pegaram táxis diferentes. Seguindo a instrução do homem, Babi desceu do táxi e se dirigiu ao bar sem olhar para trás.

Quando entrou, seu chefe a fuzilou com os olhos e veio logo falar com ela.

— Renascida do inferno?

— Tive problemas, Giovanni.

— Você não está morta, então significa que podia ter ligado, avisando da sua ausência. Em que porra de lugar se enfiou que ninguém conseguia falar com você?

— Passei mal. Fiquei dois dias com intoxicação alimentar no hospital. A culpa é sua.

— Minha? Perdeu o juízo?

— Essas malditas refeições que você serve para os seus funcionários. Foi isso que me fez passar mal.

— Como sabe disso?

O chefe olhou para ela, desconfiado, em seguida, olhou preocupado para os homens que estavam mexendo na parte elétrica do bar. Não queria que eles ouvissem a discussão. Bastava uma denúncia no departamento de vigilância sanitária e os fiscais apareceriam.

— Porque foi a única coisa que eu comi naquele dia. Devia me agradecer por estar aqui hoje sem exigir nenhum ressarcimento de você, Giovanni. Gastei horrores na farmácia.

— Shhhh. Fale baixo. Você está melhor?

— Sim. Obrigada por se preocupar.

— Vá se arrumar. Abriremos em meia hora, se o pessoal da elétrica terminar. Tivemos um estouro e de repente tudo parou. Só problemas, *chérie*, só problemas.

O chefe saiu resmungando e ela sorriu satisfeita de sua pequena performance. Babi deu uma olhada para os caras que estavam consertando a parte elétrica, preocupada que o problema pudesse manter o bar fechado mais do que o esperado, mas então congelou.

*Filhos da puta!* Os caras da equipe estavam lá, uniformizados e mexendo na fiação. Ela sentiu os nervos se abalarem. Procurou pelo brasileiro e seus olhos o encontraram. Ele desviou o olhar e se concentrou no que estava fazendo, fosse lá o que fosse.

A única coisa que Babi tinha certeza era de que não existia problema elétrico algum. Será possível que eles tinham acesso a tudo? Que tipo de gente eles eram, afinal?

Um grito a tirou do seu devaneio. Will havia chegado. Ele era assim mesmo, não precisava ser anunciado porque se promovia e fazia seu show particular.

— Bandida! Eu devia arrancar seus olhos e cozinhá-los no feijão pra você comer.

Ele a abraçou com força e ela observou os caras. Nenhum deles parecia prestar atenção neles, mas Babi tinha plena certeza de que saberiam repetir palavra por palavra do que estava sendo dito.

Will baixou os óculos *neon*, que ele gostava de usar em seus shows, e se abanou com exagero.

— O que temos aqui, docinho? O que é isso? Jesus! Está chovendo homem grande, bonito e tesudo aqui no Lótus?

Babi riu porque sabia que ele estava comendo os rapazes com os olhos. Ela achou que era melhor tirá-lo dali.

— Vai me explicar seu sumiço?

A garota deu a ele a mesma desculpa que deu ao chefe, a diferença foi que Will era mais esperto e não comprou a história. Por sorte, os clientes foram chegando e já estava quase na hora de abrirem o bar. Babi colocou sua roupa de trabalho, fez um rabo de cavalo, colocou um pouco de maquiagem e foi preparar seu balcão.

Ela e seus companheiros de trabalho não eram simples bartenders, eram especialistas na arte de fazer drinks com malabarismos. Eram os melhores de São Paulo. Davam um show à parte, o que trazia gente de toda a cidade para assisti-los, e isso exigia preparo.

De volta ao salão, Babi viu que os homens não estavam mais lá. Ela conversou com seus colegas e os primeiros clientes começaram a entrar para o *happy hour*. Em uma hora, o bar estava estourando de gente.

O Lótus era um bar requintado, para quem tinha dinheiro para gastar. Jovens empresários, filhinhos de papai cheios da grana e gente de alto escalão dos escritórios de grandes empresas com sede em São Paulo.

Era sexta-feira e o povo queria beber. O balcão ficava uma loucura. Por alguns minutos, Babi esqueceu seus problemas e o bando de caras hollywoodianos de olho nela.

Murilo e os demais agentes voltaram para o apartamento e fizeram uma revista geral para tentar encontrar o celular, que não estava no fundo falso do balcão, como ela havia dito. A miserável mentiu descaradamente. Eles olharam tudo e não o encontraram.

Uma hora depois, chegaram no bar. Entraram aos pares e incorporaram o melhor estilo "homens-lindos-de-morrer". Foram para a ala VIP porque ficava acima da pista de dança, de onde teriam uma visão geral do local.

Murilo logo viu Babi atrás do balcão. Ela tinha grande habilidade com as garrafas e copos. O povo pedia e ela colocava os drinks no balcão com rapidez, preparando os coquetéis com agilidade e graça. A clientela masculina estava babando nela. Babi era popular, dava para perceber.

Ela vestia um top preto, que deixava parte da sua barriga à mostra e ressaltava o piercing delicado no umbigo, além de tornear os seios de maneira sedutora, sem ser vulgar. A calça de couro era muito justa e de cintura baixa. O rabo de cavalo deixava seu rosto lindo, bronzeado, maquiado e de traços finos em evidência. Os lábios medianos sorriam com simpatia para os rapazes, que pareciam abelhas atraídas para o mel.

Os caras estavam atentos, mas nem por isso deixaram de se divertir. Pareciam extasiados pela mulherada brasileira que lotava o bar. Murilo viu o chefe de Babi falar alguma coisa e ela concordar com a cabeça. O amigo dela, Will, subiu no balcão e fez graça com as garrafas de Jack Daniel's, chamando a atenção do público, que aplaudia entusiasmado. Ele era um barman e tanto, pelo que os agentes puderam perceber. Nem de longe parecia a gazela escandalosa que eles tinham visto antes de abrir o bar.

A música pop eletrônica estourava na pista de dança no meio do salão, que já estava abarrotada. Meio minuto de distração e Murilo percebeu que Babi tinha sumido do balcão.

Fritz se aproximou dele.

— O chefe pediu para ela fazer alguma coisa.

— Eu vi. Melhor nos espalharmos pelo bar.

— Jason e eu vamos dar uma volta.

Murilo concordou e eles desceram. Instantes depois, Babi ressurgiu no bar da área VIP através de uma porta que interligava os ambientes por corredores internos. Ela agiu como ele tinha mandado, sem contatos visuais e com naturalidade. Ele se dirigiu ao bar e pediu um uísque com gelo, que ela serviu prontamente enquanto falava com algum cliente assíduo ao seu lado. O rapaz se dobrou no balcão para cochichar no ouvido dela.

O agente Marconi prestava atenção a todo o movimento e mantinha um olho em quem entrava e saía pela porta dos funcionários, ao mesmo tempo em que tentava observar se alguma coisa era colocada despercebidamente nas mãos dela.

Ele sabia que Ramon e Sam estavam atentos também. Qualquer movimento estranho ou suspeito e eles pegariam.

A área VIP era mais tranquila, mas não menos cheia. A chegada de Babi animou os marmanjos do local. Ela era muito boa nas acrobacias com os copos e garrafas. Podia-se entender o sucesso do bar: barmen e bartenders bonitos e habilidosos; ambiente seguro e animado. Um prato cheio para quem gosta desse tipo de diversão.

Já eram quase cinco da manhã quando ela saiu pela porta dos fundos, com Will e mais dois funcionários do bar. Eles caminharam para o ponto das vans e esperaram pelo transporte público. Os caras estavam espalhados entre as pessoas e viram quando ela entrou na van sem nem ao menos olhar para eles.

Em minutos, eles estavam dentro do carro disponibilizado para eles pelo governo e a seguiam pelo trajeto discretamente.

Jason foi o primeiro a falar.

— Ela é boa. Quero dizer, boa em tudo. Cacete, essa menina é gostosa!

Os homens riram porque entenderam as entrelinhas. Samuel fez uma observação importante:

— E a explicação que ela deu ao chefe? Em dois minutos, ele passou de vítima a culpado. Eu digo que ela é perigosa.

Fritz concordou.

— E quase ganha reembolso pelas despesas de uma farmácia inexistente. Em outras palavras, ela é persuasiva.

Murilo tinha colocado os colegas a par da conversa que a garota teve com o chefe quando chegou. Analisando a situação, ele tinha que concordar com os agentes: perigosa descrevia bem o perfil dela. Inocentemente sedutora, prendia a atenção das pessoas, distraindo-as dos seus propósitos.

Depois de uma hora de viagem, a van parou em frente ao condomínio dela. Os agentes estavam pasmos com a demora do transporte. Ela desceu, se despedindo de Will, e parou abruptamente. *Merda*. Ela não queria lidar com isso agora. Estava cansada e suada, e tudo que queria era um banho frio e relaxante.

Os agentes pararam a uma distância segura e observaram curiosos o desenrolar da cena.

— Quem é? Você conhece?

Murilo bufou impaciente.

— A Cinderela.

— Caralho. É gata também.

Laura estava parada em frente ao prédio, esperando por ela. Usava uma saia muito curta e uma regata que acentuava seu corpo bem-feito. Samuel ligou seu celular no viva-voz para ouvir a conversa. Murilo traduziria o diálogo para eles, uma vez que Ramon tinham colocado uma escuta na mochila de Babi sem que ela percebesse e interligado o microfone aos seus celulares.

— Ei, está fugindo de mim?

— Por que eu fugiria de você?

— É o que eu tenho me perguntado.

A moça fez um movimento para chegar mais perto e Babi recuou. Laura olhou pra ela com atenção.

— Vamos subir, precisamos conversar.

— Não hoje, Laura. Estou cansada. O bar estava lotado e eu preciso me deitar e dormir.

— Quem é?

— Quem é o quê?

— Quem é a pessoa com quem você está ficando?

— Não tem pessoa nenhuma.

— Você está diferente.

—Eu estou cansada. Podemos ter essa conversa amanhã?

— Não.

Bárbara suspirou, impaciente. Sabia que os caras estavam em algum lugar observando a cena e isso a deixou constrangida. Laura voltou a falar:

— Você me deve uma explicação.

— Tudo bem, eu sei. Mas pode ser outro dia? Porque estou exausta e juro que vou perder minha paciência se começarmos a discutir agora. Vá pra casa e me deixa dormir umas horas. Eu prometo que ligo amanhã e conversaremos.

Laura saiu batendo o pé e Babi entrou no prédio. Ela jogou a mochila no chão do quarto e foi tomar uma ducha. Quando saiu, os caras estavam lá, todos à vontade dentro do seu apartamento.

Ela estava indo para o quarto quando Murilo a chamou.

— Temos alguns pontos para esclarecer.

— Agora?

— Sim.

— Nem pensar. Estou exausta. Nos falamos amanhã.

Ele pensou um pouco. Ela tinha dado o sangue no bar. Não seria mesmo uma boa hora para conversar.

— Tudo bem. Eu e Diego ficaremos aqui.

— Por que não vão para um hotel?

— Queremos economizar.

Ela bufou, mas não estava disposta a ter uma briga a essa hora.

— Fiquem onde quiserem, contanto que me deixem em paz.

Ela entrou no quarto, tirou a roupa e vestiu um roupão. Estava quente ali, por isso deixou a janela aberta para o vento circular. Abriu o guarda-roupa e percebeu que ele tinha sido revistado.

Embora não estivesse bagunçado, algumas coisas não tinham sido colocadas exatamente nos lugares em que estavam e da maneira que ela costumava arrumá-las. Babi deixava alguns perfumes com os rótulos propositalmente voltados para trás e alguns outros pertences em lugares estratégicos para saber se alguém tinha mexido nas suas coisas. Ela tinha aprendido a tomar certas precauções depois que foi envolvida nos negócios de Julián.

Muito silenciosamente, apagou a luz para dificultar a visibilidade no caso de eles terem colocado câmeras em seu quarto. Ela retirou a fronha do travesseiro e abriu o zíper da capa de proteção. Dentro das espumas macias, estava o pequeno celular que ela usava para se comunicar com o cartel. Normalmente, usava-o no banheiro dos funcionários do bar porque tinha certeza de que não haveria ninguém ouvindo ou câmeras ocultas. Porém, devido às circunstâncias, não pôde levá-lo para o trabalho, uma vez que suspeitou que os caras poderiam mexer no sistema de segurança e como pode ver com seus próprios olhos, eles agoram monitoravam tudo por lá.

Ela olhou para a porta trancada para se certificar de que era seguro e ligou o aparelho, esperando impacientemente que a tela se abrisse. Seu coração batia descompassado. Ela verificou primeiro as chamadas e sussurrou um palavrão. Quatro chamadas perdidas nos dois dias em que esteve fora.

Olhou as mensagens e lá estava a orientação dada. Babi respirou aliviada.

Eles entrariam em contato na próxima noite. Por pouco não tinha perdido a data determinada. Babi apagou a mensagem rapidamente. Um barulho na maçaneta da porta a assustou e ela escondeu o celular depressa, ajeitando o travesseiro e deitando como se estivesse dormindo.

Tinha um palpite de que eles dariam um jeito de abrir a porta. Ela devia estar sendo mais monitorada do que imaginara. Outra forçada na maçaneta e a voz do agente se fez ouvir.

— Abra a porta.

Ela respirou fundo, bagunçou o cabelo e fez sua melhor cara de sono. Abriu a porta e ele a arrastou para a sala enquanto Ramon entrava no quarto, procurando o objeto.

O agente a jogou no sofá sem cuidado algum. Ela bateu o ombro no braço da poltrona e reclamou.

— Está louco?

— Estou puto, Babi. Muito puto, e Deus te ajude se você mentir pra mim novamente.

A garota olhou para ele. Ele tinha uma expressão furiosa: as mãos na cintura e faíscas saindo pelos olhos. É, ele estava puto. *Merda*. De alguma forma eles descobriram sobre o celular.

Ela permaneceu em silêncio, mas enfrentou o olhar dele. Sua voz estava controlada, apesar da raiva estampada no rosto.

— Onde está a porra do celular?

— Na cabeceira da cama.

— Não me provoque, menina. Você sabe que não estou perguntando sobre o seu celular pessoal. Você é imbecil ou o quê? Temos um rastreador de sinal dentro da casa. O número pode não ser rastreável, mas, assim que o ligou, nós identificamos um aparelho diferente do seu e sabemos que está aqui.

Babi se levantou, tentando ganhar espaço, mas ele a empurrou de volta para o sofá.

— O celular, Babi.

Ramon entrou na sala com o aparelho na mão. Ele também estava bravo, dava para perceber. Murilo ligou a tela, mas seus olhos estavam na garota. Ela esfregava o ombro e ele se preocupou em tê-la machucado.

Ele checou as chamadas e as mensagens.

— Com quem pensa que está brincando aqui? Maldição, mulher! Quer morrer?

Ramon discou um número e falou rapidamente. Segundos depois, os outros três homens entraram pela porta e ela se encolheu no sofá. Estava arruinada.

Alan era, sem dúvida, o líder dessa operação, observou, porque ele direcionava a equipe. Talvez por ser brasileiro, ou talvez porque fosse o melhor deles. Ela não sabia, mas o brasileiro dava as cartas.

— Falou com eles?

— Não.

— Mandou mensagem?

— Não.

Ele passou as mãos pelos cabelos.

— Não fode com essa operação, Babi, porque as coisas não vão acabar bem pra você.

A garota continuou muda. Ela estava desesperada para saber que não estava atrasada com as datas de Julián. Se conteve quando chegou no apartamento porque sabia que eles estavam atentos. Ela achou que, depois de um dia de trabalho, a hora de dormir seria mais segura para averiguar o celular.

Estava enganada e não tinha como remediar aquilo. Fossem quem fossem esses caras, eles estavam muitos passos à frente dela. Pensou em Tiago e seus olhos se encheram d'água. Não queria chorar, mas o nó estava sufocado na garganta.

Murilo olhou para ela, que desviou o rosto para a janela. Eram seis e meia da manhã e ela não tinha dormido ainda.

Babi tivera uma noite atarefada, além de ter passado dois dias presa, ter um monte de caras estranhos dentro da sua casa lhe ditando ordens, sua namorada fazendo pressão, seu único irmão estava cativo e o maior traficante de todos os tempos a mantinha em vigilância apertada. Era demais para uma garota de vinte e três anos.

— Vá dormir, Babi.

Ela obedeceu sem reclamar, mas, quando chegou no quarto, toda a angústia e pavor dos últimos dias vieram à tona. O quarto era seu cantinho favorito, seu aconchego nas horas ruins, e ele estava detonado. Não tinha uma única coisa no lugar. Mal podia achar espaço para andar sem pisar em seus pertences jogados pelo chão.

Babi parou na soleira e deixou as lágrimas descerem enquanto encostava a porta. Depois, tirou o roupão, alcançou a cama e se enrolou no lençol no meio da bagunça. Enterrando a cabeça no travesseiro, soluçou.

Os homens se sentaram na sala para traçar um plano de ação. Eles conseguiam ouvir os soluços que vinham do cômodo ao lado. Eram durões, treinados e acostumados a enfrentar o pior, mas o choro baixo e contido da garota doeu em cada um deles.

Jason olhou para a porta fechada.

— Choro de mulher é foda.

Ramon segurou a nuca com uma expressão culpada.

— O quarto ficou uma bagunça.

Sam olhou pela janela. O dia estava clareando.

— O desespero dela em salvar o irmão vai acabar por matá-lo.

— Ou a ela.

Fritz tinha razão. Era provável que ela acabasse morta porque, assim que Julián a considerasse não segura, eliminaria a ameaça da maneira que ele costumava fazer: silenciando-a para sempre.

Murilo jogou seus pensamentos para o lado e se concentrou na reunião.

— É para isso que estamos aqui, para acabar com gente como Julián e livrar inocentes das mãos sangrentas dele.

Os homens discutiram os pontos a serem trabalhados no bar na noite seguinte; as táticas de abordagem se o contato fosse reconhecido na multidão, já que seria sábado à noite; e o local provavelmente estaria cheio, e a segurança da operação.

Duas horas depois, o cansaço bateu e dois deles foram dormir no carro. Ramon foi para a cama de solteiro do quarto sobressalente e Jason se esticou no sofá.

Murilo abriu a porta do quarto de Babi silenciosamente e se espantou com a desordem. Ela estava deitada entre as coisas e roupas que Ramon tinha jogado na cama. O lençol havia escorregado do seu corpo e o deixou parcialmente nu. As costas dela estavam de fora e a pernas também. Apenas o bumbum redondo e perfeito estava coberto. O braço estava curvado sobre o colchão e bem próximo do tórax, uma proteção que o impedia de visualizar o seio encoberto.

O rapaz sentiu a excitação percorrer seu corpo e aquecer seu sangue. Ela era linda. Pequena, frágil e com tudo no lugar para deixar um homem louco, ou a uma mulher. Ele riu com o pensamento de que ela tinha uma namorada e não um namorado. *Que desperdício!* Ele saberia como aproveitar bem cada centímetro daquela pele acetinada e com certeza ela se arrepiaria com seu toque; a respiração dela ficaria mais rápida, assim como a dele estava agora. Ela ficaria com tanto tesão que não pensaria em mais nada, nem ninguém, apenas imploraria para que ele a tocasse intimamente e ele o faria. De todas as maneiras que ela pedisse, de todas as formas que ele ansiasse. *Ah, Deus! Essa menina ainda iria ser uma dor de cabeça das grandes pra ele!*

# CAPÍTULO 4

"O coração é a região do inesperado."

Machado de Assis

A luz do sol irradiava pela janela aberta do quarto de Babi quando Murilo entrou. Ele estendeu a mão e deixou a ponta do dedo sentir a maciez da pele dela. Deslizou suavemente o dedo pelos ombros e tocou seus cabelos longos e lisos. Eram sedosos. Ele desceu por suas costas e, na altura do traseiro, desceu alguns milímetros do lençol. Ele estava tentado a tirá-lo por completo, mas venceu seu desejo em nome da honra. Não se aproveitaria dela enquanto estivesse dormindo.

Babi dormia um sono profundo. Murilo se afastou e começou a colocar as coisas dela no lugar. Pôs as roupas dentro do guarda-roupa e recolheu as coisas do chão. Item a item, aos poucos ele foi colocando tudo em ordem.

Ela poderia arrumar tudo à maneira dela mais tarde, porém, quando acordasse, não precisaria enfrentar novamente a imagem da invasão de privacidade.

Quando o quarto estava apresentável novamente, ele tirou a camisa e a calça e se deitou na cama com ela. O apartamento era pequeno. A cama de solteiro do quarto ao lado estava ocupada, bem como o sofá, e nem fodendo ele ia dormir no chão se ela tinha uma cama de casal só para ela.

O rapaz adormeceu rápido e não viu quando a moça acordou e se assustou por ter companhia. Ela se sentou, puxando o lençol sobre o corpo, e olhou para o homem ao seu lado.

*Que atrevimento ele vir dormir na sua cama!* Babi passou o olho por ele. *Jesus, esse era um corpo perfeito.* Ele tinha um dos braços sobre os olhos, protegendo-os da luz do sol, e o outro estava sobre a barriga.

Ela observou as mãos dele. Babi adorava mãos, tinha fetiche por elas. Ela avaliava as mãos das pessoas: o formato das unhas, as linhas das palmas, a precisão dos movimentos. Ele tinha mãos grandes e bonitas, com unhas perfeitas e bem-cuidadas para uma mão masculina. Com certeza deviam ser macias e sem calos. O peito musculoso ia e vinha em uma respiração leve e suave. Ela viu a perfeição do abdômen dele, com gomos definidos que se estreitavam na cintura. Ele tinha aquele côncavo masculino perto da pélvis que enlouquecia qualquer mulher. Uma fina camada de pelos descia do umbigo para dentro da cueca, onde o volume, ainda que adormecido, era bastante considerável. *Deus do céu,* ela tinha que tirar esses pensamentos da cabeça.

A moça olhou à sua volta e ficou surpresa ao ver que o quarto tinha sido arrumado. Pelo menos os desgraçados tinham alguma consideração. Só esperava que sua nudez tivesse sido respeitada. Era uma merda ela estar acostumada a morar sozinha e dormir nua. Teria que se habituar a usar pijama enquanto esses caras estivessem em seu apartamento.

A moça se levantou silenciosamente e olhou novamente para o homem que parecia ainda estar adormecido. Ela foi até o guarda-roupa e pegou um sutiã e seu robe, que tinha sido guardado em lugar errado. Aliás, estava tudo no lugar errado.

Enquanto se vestia, ouviu a voz sonolenta atrás de si.

— Que pena, estava tendo uma visão dos céus.

Babi deu um grito. Foi pega de surpresa, pois pensava que ele estava dormindo.

— Babaca.

— Por quê? Eu te fiz um elogio.

— Não me enche! E, da próxima vez, arrume outro lugar para dormir.

Ela pegou uma calcinha e começou a vesti-la por debaixo do robe. Murilo cruzou os braços atrás da cabeça e ergueu o corpo para acompanhar o movimento dela. Era muito sexy ver uma mulher se vestir.

— Nunca viu uma mulher pelada na vida?

— Muitas, mas nunca é demais, não é?

A garota penteou os cabelos e fez uma trança rápida.

— Me diz, Babi, você já teve um homem na sua cama?

Ele se divertiu com a expressão incrédula dela.

— Não é mesmo da sua conta.

— Como pode ter certeza de que gosta de mulher se nunca experimentou um homem?

— Quem disse que eu nunca experimentei?

— Eu acho que não. Não um homem de verdade. Um que te pegasse de jeito.

Babi teve que rir.

— Se eu quisesse um homem na minha cama, eu teria, Alan. Se não tenho é porque não quero.

— Não querer não significa não gostar, não é?

— O que isso lhe importa?

Ele se levantou. *Deus! O cara era alto, largo e forte.* Ela calçou o chinelo e se apressou em sair, mas ele a alcançou e a segurou pelo braço. A garota ficou visivelmente nervosa e passou a língua pelos lábios ressecados.

— Eu te deixo nervosa.

— A situação toda está me deixando nervosa. Não você em especial.

— Talvez eu seja o seu tipo.

— Isso é uma piada?

— Como está seu ombro?

Murilo desceu a gola do roupão para avaliar o ombro dela, que tinha batido no sofá quando ele a jogara com raiva. Havia um hematoma ali e ele se repreendeu intimamente. Não teve a intenção de machucá-la.

— Desculpa, me excedi. Não vai mais acontecer.

— Está tudo bem.

—Como estava dizendo, talvez devesse experimentar algo mais consistente antes de enveredar para outros tipos de relacionamentos.

— Eu não...

Ele não a deixou terminar e a interrompeu com uma voz quente e rouca.

— Em apenas uma noite, eu te faria mudar de ideia.

Ele deixou os dedos repousarem sobre o ombro dela com suavidade.

Depois, deslizou a mão sobre sua pele macia, subindo pelo pescoço.

— Eu beijaria seu corpo todo e tocaria em lugares que você sequer conhece em si mesma... E deixaria minha língua saborear seu gosto mais íntimo e minhas mãos apalpariam seus seios até que estivessem tão intumescidos e prontos para serem sugados que você imploraria pela minha boca...

*O que estava fazendo?,* o agente se perguntava. A visão dela nua tinha mexido com a libido dele. *Céus, em todos esses meses que a observou de perto não teve uma única vez que não ficou tentado a sentir a textura daquela pele suave.* Sua mão subiu pelo pescoço dela e ele a segurou firme, mantendo-a atenta ao seu rosto.

A garota olhava para ele desconcertada e pensava que devia sair correndo. Havia muito tempo desde que esteve com alguém do sexo masculino. Tinha saudades, tinha vontades, mas as empurrava para dentro, bem fundo, e se lembrava do que essa raça maldita podia fazer. Os homens eram uns insensíveis sem coração, uns pervertidos que só pensavam em sexo, bundas e peitos. Eles traíam, estupravam, mentiam e enganavam suas companheiras sem remorsos.

Ela mantinha a mente sempre voltada para essas conclusões para não se deixar envolver nunca mais. Seu ciclo de amizade era restrito e seus amigos eram todos gays. Eram os melhores amigos e companheiros que se podia ter. Babi não dava abertura para muita gente se aproximar e ela mesma dava conta de suas necessidades sexuais quando ficava muito desejosa de sexo.

Não, definitivamente não estava interessada em se deixar envolver por nenhum maldito homem enquanto vivesse. Mesmo que fosse um lindo e adoravelmente irritante como o que estava bem à sua frente.

Babi sentiu os dedos se fecharem por trás do seu pescoço. Esse era um movimento muito claro. Ele iria beijá-la. Ela devia empurrá-lo e gritar com ele, reforçar que gostava mesmo era de meninas e exigir que ele nunca mais colocasse as mãos nela.

Mas havia um estranho frio na barriga, que há anos não sentia, perdurando em seu corpo, que parecia ter vida própria e estar separado da mente. Ela sentiu sua respiração se alterar, desejosa, e fechou os olhos sem perceber.

Murilo pensou que aquele momento era para ser uma brincadeira, uma provocação, mas, quando colocou a mão nela, seu desejo falou mais alto. Esperava uma explosão raivosa da parte dela, mas não veio. Ao invés disso, ele viu o corpo da garota reagir ao seu contato. A pele dela se arrepiou e a respiração ficou mais rápida. Para sua surpresa, ela também o queria.

*Deus, ele daria tudo que ela quisesse.* Murilo baixou sua cabeça e a beijou. Ele colocou a outra mão no pescoço dela, segurando-a com firmeza enquanto sua boca cobria a dela. Ele a puxou para si com força e enfiou a língua fundo na boca deliciosa. Ela tinha os lábios mais macios que ele já tinha beijado e Babi correspondeu ao beijo sem nenhuma restrição.

Sua mão desceu para o traseiro redondo e perfeito que o tinha tentado tantas vezes, e a outra mão se infiltrou dentro do robe, achando o seio através do tecido. Ele gemeu baixinho e cobriu o seio, apertando-o com suavidade. Com destreza, o agente afastou o bojo da lingerie e tocou a pele macia. *Deus do céu, ele a tomaria ali, naquele momento.*

Seu membro inchou até o ponto máximo e ele se esfregou nela, conduzindo-a em direção à cama. As mãos dela subiram por seu peito e enlaçaram seu pescoço em um ato mudo de aprovação.

O som da campainha soou forte, trazendo-os de volta à realidade, e Babi se separou dele.

Os olhos ardentes não negavam o desejo, e ele sorriu. Ela não era gay. De jeito nenhum. Ele conhecia as mulheres bem demais para não perceber suas reações. Essa garota estava há muito tempo sem transar com um homem e tinha essa espécie de namorada insistente atrás dela, mas estava particularmente mexida com a presença dele.

Babi teve uma reação nervosa subitamente, limpando a boca com as costas da mão como se estivesse com nojo. Estava representando sentir asco dele para impor distância. Olhou-o com raiva e tentou falar com convicção:

— Nunca mais faça isso. Idiota! Pensei que já tivesse percebido que não gosto de homens.

— Pareceu que você estava gostando... e muito. Um minuto a mais e você estaria bem ali, naquela cama, debaixo de mim... Posso garantir.

Antes que ela pudesse responder, Ramon bateu à porta do quarto, abrindo-a sem esperar resposta.

— A Cinderela tá ai. O que faremos? Vamos deixar que ela entre?

Essa era a Laura. Quando queria uma coisa, nada ficava em seu caminho. E ela queria uma explicação de Babi.

Ramon olhou os trajes de Murilo e uma sugestão de riso passou por sua expressão. O agente brasileiro colocou a calça jeans e a camiseta rapidamente. A campainha soou outra vez e Babi grunhiu em resposta.

— Deixe-a entrar, que droga, ela não vai desistir.

Murilo pensou um pouco.

— Ela vai questionar minha presença aqui. Diga que sou um primo distante que está de passagem.

— E ele? E os outros?

Ramon explicou rápido.

— James, Mike e Tobias foram tomar café da manhã em algum lugar.

— Diga que Diego é um amigo do primo.

— Não vai colar.

— Você é boa para fazê-la acreditar, tente desviar o assunto.

— Como se fosse fácil! Você não a conhece.

Babi foi abrir a porta. Laura entrou furiosa e estacou no meio da sala ao ver Ramon e Murilo ali.

— O que é isso? Quem são eles?

— Bom dia pra você também, Laura.

— Não me venha com ironias, Babi. Quem são?

— Alan, meu primo, e o amigo dele, Diego. — Ela ergueu a mão em direção aos meninos. — Alan, Diego, essa é a Laura.

Os desgraçados sorriram afetuosos. *Atores de uma figa!* Alan se aproximou.

— Então você é a Cinderela?

— Como?

— Babi me disse que tinha uma Cinderela na vida dela. Imagino que seja você.

A garota fuzilou o rapaz com os olhos, mas ele não se intimidou, estendendo a mão para Laura, cumprimentando-a educadamente.

— Você disse isso a eles? Falou sobre nós?

Laura parecia uma criança feliz que ganhou o melhor presente do Papai Noel. De cara, dava pra perceber que aquela não era uma relação de verdade, pelo menos não para uma das partes. Patético. Diego se intrometeu, para desgosto de Babi.

— Claro que sim. Ela tem orgulho de você.

Babi passou para a cozinha, irritada, e ouviu com diversão quando Laura indicou os dois com suspeita.

— Vocês também são... tipo, um casal? Que legal.

Os homens ficaram espantados e sem fala por um minuto inteiro, o que significava muito. Depois, ambos começaram a negar com veemência, o que deixou a situação cômica.

— Não. Claro que não. Deus me livre!

— Está me estranhando, belezinha? Sou homem, porra!

Ela riu abertamente.

— Desculpe, é que a Babi nunca fala de mim pra ninguém. Ela é nova nesse... tipo de relacionamento e odeia que as pessoas saibam. Então achei que ela tinha falado porque vocês também são "da família", entende? — Ela falou da família fazendo aspas com os dedos e eles ficaram confusos.

— Da família?

— Sim, família LGBT.

— Não somos.

Ramon era o mais enfático em negar.

— Definitivamente não somos.

Babi entrou na sala com seu café inseparável e vingou-se dos meninos, provocando-os.

— Estão em negação.

— Ah, é?

Murilo arregalou os olhos, incrédulo.

— Não estamos em negação, apenas não somos um casal.

— São sim, só precisam assumir pra vocês mesmos. É difícil, eu sei, mas, no momento em que vi os dois juntos, a maneira como se olham, o carinho como se tratam, eu soube. Quem é da "família", como eu sou, reconhece os outros.

Ela deu ênfase na frase final e ele estreitou os olhos perigosamente. Laura riu, não entendendo as indiretas.

Ramon quase surtou.

— Está louca? Que maneira de olhar? Sou homem e posso te provar agora mesmo, cacete!

Babi riu do desconforto dos dois. A fedelha estava se divertindo à custa deles. Não olhou para Murilo para não perder o foco, pois ele a intimidava. Laura desviou o assunto.

— Que legal, você é estrangeiro. De onde é?

— Venezuela.

O latino era mexicano, mas estavam em uma missão ali e as nacionalidades não deviam ser reveladas.

— E o que faz aqui?

— Negócios, turismo, MULHERES.

Ele fez questão de falar "mulheres" olhando para Babi. Ela teve seu momento de diversão. Os homens eram patéticos em suas masculinidades. Imbecis.

Ela se levantou e indicou o quarto para Laura.

— Com licença, rapazes.

Murilo acompanhou as garotas com os olhos e viu a porta fechar com força. Ramon olhou para ele com irritação.

— Fedelha dos infernos.

Houve um silêncio incômodo. Os olhos do agente brasileiro estavam fixos na porta fechada do quarto. Ramon estreitou os seus e torceu a boca, divertindo-se.

— Você está a fim dela? Ou está fantasiando com as duas?

— Não sou esse tipo de pervertido.

— Então você está a fim.

— Estar a fim não é a melhor descrição.

— Eu acho que é a descrição perfeita.

O latino olhou para a porta e, depois, novamente para Murilo.

— Vamos ligar os microfones. Garota com garota me dá um tesão do caralho.

— Pode se concentrar na missão, Ramon? Vamos ligar os microfones porque precisamos monitorar os contatos da Babi e saber se algum deles está ligado a Julián, e não para bisbilhotarmos a relação sexual dela com quem quer que seja.

— Está dizendo isso pra mim ou pra você mesmo, campeão?

Murilo não respondeu. Ao invés disso, abriu seu laptop e ligou o microfone programado. Tinha ficado tentado a colocar uma câmera no quarto, mas desistiu. Tinha outros recursos que não eram tão inoportunos.

E também não se sentiu confortável em expor Babi dessa forma aos outros agentes. No quarto, ela estaria em situação íntima o suficiente para que eles se interessassem em ficar diante dos monitores por vinte e quatro horas, e isso não o agradou.

Ramon puxou uma cadeira ao lado dele na mesa da cozinha para ouvir melhor.

— Você nunca me disse que tinha outros parentes além do Ti.

— Até me esqueço deles.

— Ele me parece legal.

— Ele não é, não se engane. Ele é um idiota, um arrogante... um, um... deixa pra lá.

Murilo bufou divertido. Ela sabia que estava sendo ouvida, e queria atingi-lo com o xingamento. A conversa continuou.

— Ei, por que não me diz o que está acontecendo? Está claro que há alguma coisa que não quer me dizer.

Babi desconversou.

— O que você fez na minha ausência? Foi ao Flor de Lis?

— Fui.

— E aí? Ficou com alguém?

— Era isso que você queria? Que eu ficasse com alguém?

— Eu não disse isso.

— Não precisa dizer, Babi. Pra você tanto faz, não é?

Ramon sorriu com a conversa.

— Nossa garota é danada de boa em desviar os assuntos, hein?

— É o que parece.

— Ela está quebrando o coração da Cinderela.

Murilo olhou para ele com um olhar "cale-a-boca-e-escuta".

— Você está muito estressada, Laura.

— Claro que sim! Você some, não dá explicações, me trata mal...

— Eu não te trato mal.

— Não se importa de verdade comigo.

— Isso não é verdade.

— Você se esquiva... não quer aprofundar nossa relação... já estamos nos vendo há alguns meses e...

— Não estou pronta para uma relação, já conversamos sobre isso.

Laura baixou a voz, como se estivesse magoada.

— Você é como Heathcliff, eu sempre te falo.

Babi riu. Ela era um tipo dramático às vezes.

— E você a Cathy? Então isso significaria que eu sou apaixonada por você. Nada a reclamar, não é?

— Você nunca me disse que era. Nunca me diz nada sobre seus sentimentos. É como se estivesse tentando, mas não conseguindo de fato. Tem certeza que você é...

— Tenho.

A interrupção de Babi esclareceu alguns pontos dos quais Murilo já tinha certeza: ela não era gay. *Caramba, então por que isso tudo?*

Silêncio. Quando as vozes retornaram, estavam sussurradas.

— Não esteve com ninguém, não é?

— Não.

Houve mais silêncio. As duas caíram na cama e deram risada. Laura falou novamente:

— Quero que sinta a minha falta. Eu sinto a sua.

Murilo se remexeu incomodado e Ramon começou a ficar entusiasmado, sua imaginação trabalhando apenas com o tom de voz sugestivo das garotas. O quarto estava silencioso e ele ouviu o som de um beijo misturado a um gemido suave.

Ramon reagiu.

— Cara, eu fico doido só de imaginar.

Murilo prestava atenção ao som. O beijo pareceu durar uns bons minutos, muito mais do que o dele que a porra da Laura interrompeu, mas o gemido não tinha sido de Babi. Ele tinha certeza que não. A comparação que a namorada fez ao personagem Heathcliff era claramente uma crítica à maneira que Babi a tratava. O riso das duas e o som delas caindo na cama acelerou o pulso do agente e o irritou.

Ramon podia se excitar com isso, mas ele não. Sua vontade era abrir a porta e interromper seja lá o que elas estivessem fazendo. Depois do que pareceu séculos, Babi falou novamente.

— Agora não, Laura.

— Por que não?

— Porque meu primo e o amigo dele estão na sala e vão nos ouvir.

— Não me importo. Eles sabem de nós. Os caras não se incomodam quando são garotas.

— Melhor não.

— Nunca vai me dizer sim? Sabe há quanto tempo estou esperando você estar pronta pra mim?

Babi inspirou profundamente, colocou uma mecha de cabelo atrás da orelha e se afastou uns passos, colocando distância entre ela e Laura. Estava preocupada porque sabia que os idiotas estavam se divertindo ouvindo toda a conversa e eram espertos o suficiente para saber que não acontecia nada de fato entre ela e Laura; era só ler as entrelinhas.

Sua recusa deu uma noção aos rapazes do que a Cinderela tinha em mente. E mesmo a conversa delas sendo muito esclarecedora sobre o fato de que ainda não havia sexo acontecendo entre elas, Murilo já podia ver as mãos de Laura passeando pelo corpo de Babi e a boca dela explorando cada parte da garota. Ficou com raiva da sua mente fértil. Não queria imaginar as duas. Ramon estava indo à loucura, a ponto de sujar as calças ali na cozinha mesmo. O brasileiro revirou os olhos, inconformado com o mexicano.

Babi se deu conta de que tinha que sair do quarto o quanto antes.

— Por que não me ajuda com o almoço?

— Posso passar o dia aqui?

— Já que veio, por que não?

Elas saíram do quarto e Murilo baixou a tampa do laptop. Ramon se levantou, enchendo sua xícara de café e tentando se recuperar da evidente excitação que marcava sua calça jeans.

— Desculpe, rapazes, mas vamos fazer o almoço e o espaço é pequeno para quatro pessoas.

Murilo olhou para elas, carrancudo. Estavam de mãos dadas.

— Faça almoço para sete.

— Como?

—Tenho uns amigos que estão vindo tratar de alguns negócios, portanto, faça almoço para sete.

Laura olhou de um para o outro, desconfiada. Era suficientemente esperta para ver que havia algo errado. Babi reagiu.

— Se quer alimentar seus amigos, então, saia e vá a um restaurante.

— Faça o almoço, neném, e não demore. Já estou ficando com fome. — A voz ameaçadora e o olhar frio de Murilo eram duros o bastante para ela não revidar novamente.

O agente saiu da cozinha e Ramon o seguiu. Laura se virou para Babi, que estava afogueada de raiva.

— Neném?

— Eu te disse, ele é um idiota.

— Mas eu não sou, Babi. Tem algo errado. De jeito nenhum você cozinharia para um primo que ninguém nem sabia que existia e mais quatro amigos. Qual é?

— Olha, deixe as coisas como estão. Por favor.

Laura se aproximou dela, a abraçou e falou baixinho para a garota:

— Você está em apuros novamente por causa do Ti? Igual no ano passado?

— Mais ou menos isso.

— Tudo bem. Só me diga: esses caras são perigosos?

— Talvez sejam.

— Ok. Então vamos fazer a merda do almoço.

# CAPÍTULO 5

**"O homem pode acreditar no impossível, mas nunca pode acreditar no improvável."**

**Oscar Wilde**

Uma vez, Babi estava tão estressada tentando decifrar os códigos de uma mensagem que acabou dizendo à Laura que o irmão tinha cometido um delito e estava preso em uma instituição para menores onde ela prestava serviços para pagar os custos da reabilitação.

Laura tinha ficado convencida de que era esse o segredo de Babi e que ela mentia sobre o irmão para preservar a imagem dele. Por isso, agora estava mais apta a aceitar algumas coisas sem questionar muito.

Ela envolveu suas mãos no rosto de Babi e sorriu.

— Você pode contar comigo. Não minta mais pra mim. Me fale a verdade e caminharemos juntas com os problemas até que eles se resolvam.

Ela acariciou o rosto delicado da garota bem na hora que Murilo apareceu na porta. A cena não o agradou e ele cruzou os braços no peito com evidente irritação.

— Preciso falar com você, Babi.

Laura ainda tinha sua mão nos ombros da namorada e encarou Murilo sem muita simpatia. Depois falou:

— Vai lá. Eu vou arrumando as coisas por aqui.

Babi acompanhou Murilo até o quarto e ele fechou a porta.

— O que vocês estavam cochichando na cozinha?

— Não preciso relatar cada palavra que troco com meus amigos, Alan.

— Me pareceu que estava dizendo a ela mais do que devia.

— Ela sabe sobre o Tiago.

— Como assim? Ela sabe sobre as mensagens? Sobre Julián?

— Não. Ela pensa que o Tiago está preso, que se envolveu com o que não devia e se deu mal. Ela não é burra, eu nunca recebi ninguém na minha casa. Precisei inventar uma história. Ela não comprou essa ideia logo de cara.

— Não era para convidá-la para ficar.

— Essa casa ainda é minha.

— Você gosta dela?

Babi olhou para ele, espantada.

— O que isso tem a ver?

— Não me parece que você gosta muito dela. Há quanto tempo namoram?

— Isso não é da sua conta.

— Ela não parece satisfeita com o nível da relação de vocês. Parece que a Cinderela não está conseguindo obter de você o que de fato deseja.

— Você é um intrometido. Vou receber a mensagem hoje, devia estar trabalhando nessa questão e não no que acontece entre mim e Laura.

— A questão do contato está toda trabalhada. Não posso ter uma namorada inconveniente em volta atrapalhando meus planos. Você tem que se livrar dela.

— O que quer que eu faça?

— Isso é problema seu. Se vira. Termine o namoro se precisar, mas se livre dela.

Ele deu as costas e saiu. Babi teve que respirar fundo para se acalmar. Aproveitou para tirar o roupão e vestir uma roupa. Ela saiu do quarto e não olhou para os dois homens sentados com seus laptops falando em inglês.

Quando chegou à cozinha, Laura já estava com algumas coisas adiantadas. Babi colocou um som bem alto e elas começaram a cantar e dançar com as panelas na mão e ingredientes por todos os lados.

Era fato que Murilo tinha ido ao mercado em algum momento. Os armários estavam cheios de coisas suficientes para um batalhão, e elas se divertiram cozinhando.

As garotas viram os outros três homens entrarem e se juntarem aos colegas no sofá, mas não antes de darem uma espiada na bagunça da cozinha.

Jason perguntou, interessado:

— Quem é a garota? A mesma de ontem à noite?

— Sim. A Cinderela.

Os caras riram e balançaram a cabeça, divertidos.

Murilo tentava se concentrar, mas a algazarra na cozinha estava contagiando a equipe. Podia-se ver os pés de uns e os dedos de outros tamborilando no ritmo de música e as bocas cantarolavam o refrão da música pop americana junto com as meninas.

As risadas traziam uma leveza ao ambiente que há dias nenhum deles ali sentia. O agente brasileiro desistiu.

— Vamos esperar a euforia do almoço passar porque é óbvio que ninguém aqui está concentrado.

A campainha tocou e os caras se levantaram, cautelosos. O rádio foi desligado e Babi apareceu na porta da cozinha. Ramon e Murilo se aproximaram e o brasileiro fez sinal para que a garota não atendesse de imediato, falando bem baixo somente para ela ouvir.

— Está esperando alguém?

Ela negou com a cabeça e ele olhou pelo olho mágico, soltando um palavrão baixinho.

— É seu amigo gazela.

— Está tudo bem. Ele sabe sobre o Ti também.

— Caralho, Babi. Daqui a pouco está o clube todo aqui dentro.

— Tenho que atender, Alan. Ele provavelmente ouviu a música e sabe que eu estou em casa. Vai fazer um escândalo.

Murilo revirou os olhos, contrariado, e abriu a porta.

— Docinho, por que... você... Ai. Meu. Deus. — Ele deu um passo atrás e olhou o número do apartamento. — Eu errei de porta ou estou sonhando?

— Entra logo.

Murilo deu espaço para o rapaz entrar e viu Will encarar os demais agentes com expressão extasiada, mas bastante desconfiado.

— Definitivamente estou no céu, docinho.

Babi riu e Laura veio até ele, dando-lhe um abraço de urso e pegando as sacolas que tinha dois Black Label e um Red Label. Na mão, ele trazia uma garrafa de vinho, que colocou na mesa.

— Vem pra cozinha e ignora esses caras.

— Como você pode me pedir para ignorar as benções celestiais que Deus está derramando em meu caminho?

— Eles são héteros, meu bem, e não vão gostar muito se você os assediar.

— Olhar não é assédio, docinho.

Ele a abraçou e olhou bem pra ela.

— O que o Ti aprontou dessa vez?

— Vai ficar tudo bem.

Laura colocou a música de novo e abriu o vinho. Lá da sala, os caras ouviam a conversa animada dos três. Tobias pegou a garrafa de Black Label e a abriu sem cerimônias. Foi até a cozinha e, sem pedir licença, pegou alguns copos.

Will olhou a quantidade de copos e perguntou para ele, ressabiado:

— O que você está fazendo?

— Ele não fala português, Will, só inglês.

— Além de lindos e tesudos, os bofes são internacionais? Jesus me ajude que estou me depenando aqui.

Laura deu uma olhada rápida na sala.

— Eles abriram seu Black Label, querido.

— E quem vai dizer não aos deuses da mitologia grega, meu bem? Além do mais, eu os roubei do estoque do Giovanni. Deixe-os se embebedarem. Quem sabe não tiro uma casquinha de alguém inconsciente mais tarde?

Elas riram porque sabiam que Will não perdoava. Se desse bobeira, ele caía em cima mesmo, mas sabia respeitar os limites de quem não podia lidar com o jeito extrapolado e excessivamente efusivo dele.

E então eles começaram a beber o vinho, cantar e dançar. Os três se enroscavam entre eles rebolando e descendo até o chão. Em determinado momento, Jason apareceu e ficou petrificado em vê-los dançar. Era sensual e excitante.

Talvez por sua expressão, talvez por seu estupor, os outros vieram ver o que acontecia.

Um a um, os agentes se amontoaram na frente da porta para verem os amigos pularem, colocarem as mãos pra cima, jogarem as cabeças para trás e emaranharem-se com as mãos embaralhadas passeando nos corpos uns dos outros enquanto roçavam os quadris, as coxas e tudo o que podiam. O vinho rolava de boca em boca ao som de *I don't feel like dancing*, da banda Scissor Sisters.

Murilo olhou para os caras, que estavam extasiados, excitados e a ponto de gozarem nas calças como uns adolescentes na primeira transa. Ele bufou irritado e achou que já tinha tido o suficiente de Laura e Babi dançando sensualmente, por isso passou pelos caras e bateu a mão no aparelho de CD, desligando-o.

Todos pararam junto com a música.

— Bonitão, você é um estraga-prazeres.

— Estamos com fome e temos trabalho a fazer. Deixem pra dançar no bar.

Babi encarou Murilo com raiva. Ele sustentou seu olhar e ergueu uma das sobrancelhas, desafiando-a a reagir ou a contrariar sua ordem. A garota revirou os olhos e voltou para o almoço depois de virar uma boa golada de vinho na boca da garrafa.

Ela e Laura voltaram para o fogão, e Will encostou o corpo contra a parede.

— Seu gauchinho é todo marrento, docinho.

— Ele não é meu gauchinho, Will.

Laura olhou feio pra ele, que deu de ombros, se desculpando. O almoço ficou pronto e os agentes comeram como cavalos famintos.

Depois de comerem, Will se preparou para ensaiar seu show que era apresentado em cima do balcão. Os agentes se espalharam na sala com seus laptops e um mapa dos ambientes do bar e dos arredores. Os amigos foram para o quarto.

O show do Will era o ápice da noite e ele nunca tinha deixado a desejar. Ele ficou treinando o equilíbrio das garrafas na mão, no braço e na ponta dos dedos, girando-os, jogando os copos e pegando-os no ar, empilhando-os com habilidade.

Babi o observava e Laura tinha cochilado ao seu lado. Parecia tudo tranquilo quando o telefone ligado ao cartel tocou. A garota deu um pulo da cama e abriu a porta correndo. Ramon estava com o aparelho na mão e fez sinal para ela esperar.

Sam conectou um fio do computador ao telefone, abriu vários programas e acenou positivamente. Murilo fez sinal de silêncio para os demais e Babi atendeu.

— Oi.

— Você sumiu uns dias, menina. Onde esteve?

Ela olhou para Murilo e logo desviou os olhos.

— No hospital.

— Sei. O contato te encontra hoje no bar.

— Tudo bem. Eu posso falar com meu irmão?

Houve um momento de silêncio. Depois, ela ouviu a voz de Tiago bem baixa e fraca.

— Tata.

— Ti! Deus, como você está?

— Tata, não faça mais essas merdas. Ele não vai me entregar de volta. Acaba logo com isso.

— Você está bem, não está?

Silêncio.

— Tata, vá viver a sua vida.

— De jeito nenhum. Nunca. Nunca vou desistir.

Não houve mais conversa e novamente a voz educada e firme do homem do cartel soou ao telefone.

— Hoje à noite, menina.

E desligou.

O coração de Babi batia na garganta. Ela estava pálida e mortificada com a fraqueza na voz do irmão. A garota percebeu que ele estava esmorecendo, o ânimo e as forças minguando nas últimas ligações.

Ele não iria resistir muito tempo. Devia estar vivendo o inferno dentro do cartel e o garoto só tinha dezesseis anos. Sam e Fritz tentavam localizar de onde tinha vindo o sinal do celular, ou rastrear o número que fez a chamada.

Ramon se aproximou e pegou o celular de volta com delicadeza. Ela olhou para Will, que a abraçou carinhosamente. Laura não tinha vindo até a sala e o agente desconfiou que ela estava dormindo. O amigo puxou-a de volta para o quarto sem fazer perguntas. Antes de saírem, no entanto, Murilo os chamou e lhes deu uma advertência.

— Vocês dois: uma palavra pra qualquer pessoa sobre o que está sendo feito aqui e será o fim da linha pra vocês.

Eles assentiram sem falar nada. Era óbvio que a situação era tensa.

O agente ficou olhando Babi se afastar nos braços do amigo. Ela estava abalada. Qualquer um estaria, afinal, não precisava ser especialista para detectar o sofrimento na voz do menino que falou ao telefone.

Ele tinha visto a dor e o desespero nos olhos de Babi, e tudo que ele estranhamente quis foi confortá-la e dizer que eles iriam trazer seu irmão de volta, mas a gazela efusiva e a namorada dos infernos estavam lá pra ela. Babi os tinha e ambos eram seu porto seguro, e ele não quis interromper o apoio que a garota encontrou nos amigos.

Babi ficou no quarto até o momento de ir trabalhar, saindo com a mochila nas costas. Will estava pronto também e Laura sempre ao redor, tocando-a sutilmente. Uma mão na cintura, um carinho no cabelo, dedos que se entrelaçavam discretamente.

Definitivamente aquilo o incomodava. Nunca se considerou preconceituoso, mas ser gay simplesmente não combinava com Babi. Era uma farsa que ela estava sustentando por algum motivo. Laura era pegajosa, exigente, fazia marcação cerrada e reivindicava uma posse que ele não via nos olhos da decodificadora.

O que Murilo via era alguém que se esquivava discretamente dos carinhos, que se afastava sutilmente do contato físico. Não havia nenhuma paixão nas atitudes ou estampada nos olhos dela.

Era claro para ele que entre as duas somente uma tinha um grande sentimento, e essa pessoa não era Babi. O agente só não podia entender por que ela levava essa situação adiante.

A garota era linda, tinha um corpo assassino, trabalhava em um local onde os homens babavam por ela e com certeza recebia muitos convites tentadores, então, por que se relacionar com uma mulher que não lhe despertava para o amor? Atração? Talvez, mas ele duvidada, e a conversa que tinha ouvido não deixava dúvidas de que elas não transavam. Murilo era perceptivo o suficiente para enxergar que a química entre elas não era recíproca.

No trabalho, as coisas corriam como o esperado, com muito movimento logo que o bar abriu. Os agentes se espalharam pela multidão, todos em pontos estratégicos para ter uma visão aberta de Babi, com seus telefones preparados para chamadas rápidas e códigos combinados. Eles tinham microaparelhos de comunicação muito discretamente colocados nas orelhas e as duas saídas do bar estavam cobertas. Babi se sentia um pouco apreensiva, mas tentou se acalmar. Dizia a si mesma que já tinha feito isso muitas vezes antes. Às onze da noite, mal era possível se mover dentro do ambiente.

As pessoas dançavam esbarrando umas nas outras. Bebiam, paqueravam, se beijavam muito. Murilo observava tudo com olhos de águia, mas era um inferno de lugar para uma monitoração eficaz, com todo mundo esbarrando e pegando em todo mundo. Ele olhou para a bartender. Ela parecia tranquila agora. Sorria para os clientes e se esquivava das cantadas com elegância e simpatia. Era bacana vê-la trabalhar. As garrafas passando de lá pra cá, dançando em suas mãos, sendo jogadas para o alto, por trás das costas e depois agarradas com habilidade antes de o líquido ser despejado nas coqueteleiras. Ela fazia parecer algo simples, pois o fazia cantando e dançando, sem preocupações.

Os homens se dobravam no balcão querendo a atenção dela, esperançosos de terem um fim de noite presenteado com um "sim" da bartender mais bonita do bar.

O agente enxergou Laura entre as pessoas próximas do balcão. *Filha da puta. Estava cuidando do que ela achava que era dela.* Ele fez uma avaliação rápida da moça: era mais alta que Babi, talvez 1,70m, magra, mas não voluptuosa. Usava os cabelos numa altura média e bem cortados, com fios repicados que caíam leves, emoldurando o rosto oval. Uma franja curta rejuvenescia sua aparência. Ele pensou que ela devia ter por volta de vinte e seis ou vinte e sete anos, não menos, talvez um pouco mais.

Era singularmente bonita, mas não era nenhuma beldade. A moça falava com as pessoas, sorria e socializava, entretanto, não saía de perto do balcão onde estava Babi.

O som estridente da guitarra do Guns n' Roses anunciou o som de *Sweet child'o mine*, o ponto alto da noite. Will subiu no balcão para fazer seu show.

Murilo pensou que o menino era espetacular com as garrafas e que ali, do jeito que se movia, fazendo os malabarismos, mal se podia notar que ele era tão purpurina. O show levou os clientes à loucura. O povo aplaudia, assobiava, pulava em excitação ao ver a performance impecável do barman.

O agente virou seu Jack Daniel's puro em um gole só e passou os olhos pela multidão, que fazia coro alto com o refrão da música.

Babi adorava ver a desenvoltura do amigo em cima do balcão, mas hoje ela cantava a música meio que laconicamente. Alguém pediu um Black Label duplo e ela preparou rapidamente e entregou sorridente ao cliente, que deslizou sua comanda para que a bebida fosse anotada, olhando-a nos olhos.

Ela estava acostumada a ser paquerada e não se incomodou, mas, quando colocou a mão no papel e sentiu o formato pequeno do chip embaixo dele, seu sorriso esmoreceu.

Babi teve que pensar rápido. Lembrou-se da voz do irmão. Ela passou os olhos pelo ambiente e viu os agentes misturados às pessoas do bar. Eles não poderiam saber que embaixo da comanda estava a mensagem que ia colocar toneladas de pó de cocaína dentro dos Estados Unidos em poucos dias, tampouco que o homem bem-vestido à sua frente era o contato do facilitador que eles estavam tão ávidos para pôr as mãos.

Tinha apenas alguns segundos para decidir se devia realmente deixá-los saber sobre isso. E se eles pegassem o homem e colocassem a vida do seu irmão ainda mais em risco? E se houvesse uma perseguição no bar e Julián ficasse sabendo que ela estava sendo monitorada por um monte de grandalhões que ela nem sabia direito quem eram?

E se eles interceptassem o contato, pegassem a mensagem decodificada e depois a matassem? Seu irmão nunca teria a chance de ter uma vida, de namorar, estudar, ter uma família novamente?

Não. Ela não iria arriscar. Sorriu como sempre fazia e deslizou discretamente o chip no bolso da calça, devolvendo a comanda para o estranho. Ele engoliu o uísque de uma só vez, acenou com a cabeça e caminhou para a saída. Ela voltou para seu trabalho e viu a movimentação dos agentes.

*Merda.* Eles tinham percebido o contato. Esses homens tinham que ser policiais porque a habilidade deles de perceber as coisas e a velocidade com que agiam era de pessoas altamente treinadas.

Murilo ouviu a voz de Ramon no seu ouvido.

— Temos uma situação aqui.

Sam respondeu de imediato:

— Já visualizei. Calça jeans, camisa branca, mangas enroladas, por volta dos trinta e cinco. Duplo Black Label. Barba por fazer.

Fritz e Jason se dirigiram para as diferentes saídas. Murilo tentava abrir espaço pela multidão quando ouviu novamente Ramon.

— Saindo apressado. Pegou nosso sinal.

Murilo deu as ordens.

— Saiam do bar. Muita gente aqui, tumulto na certa.

Os agentes tinham o homem em vista e o acompanhavam à distância enquanto ele tentava apressadamente alcançar a saída. Se ele escapasse, a operação ficaria comprometida. Julián saberia que Babi não era mais uma fonte segura e isso ferrava tudo.

Estavam quase lá. Eram cinco contra um, seria impossível ele escapar.

Murilo puxou a arma escondida às suas costas e a manteve encostada na perna enquanto usava seu corpo grande e forte para empurrar e passar pelas pessoas apressadamente.

Ele viu Ramon logo atrás do cara, com sua arma discretamente em mãos. A apenas alguns passos da saída, a luz do bar se apagou.

Foram quinze segundos de breu que deram a liberdade ao contato. O barulho das pessoas farreando com a falta de energia foi ensurdecedor. Ramon correu para fora do bar e ainda conseguiu ver Sam e Fritz perseguindo o sujeito, que entrou como um jato em uma Tucson preta de vidros escurecidos.

Sam estava furioso.

— Foi por pouco, caralho, muito pouco.

Fritz olhava frustrado o percurso do carro pelo trânsito e Ramon soltava uns bons palavrões.

Jason e Murilo tinham ficado dentro do bar e se dirigiram com cautela para o balcão, onde Babi trabalhava muito pálida. O bar estava a todo vapor novamente e aparentemente ninguém havia percebido a pequena perseguição.

Murilo guardou a arma e fuzilou a bartender com os olhos. Ela estava em maus lençóis. Péssimos, na verdade. Maldita fedelha, não usou o comunicador para alertá-los sobre o contato. Ela tinha protegido o homem de Julián.

O agente se aproximou dela e sussurrou em seu ouvido através do balcão:

— Diga que está passando mal e saia pelos fundos.

— Eu não posso fazer isso.

— Agora, Babi.

Laura chegou perto dele.

— O que pensa que está fazendo?

Murilo a olhou furioso e foi rude quando falou.

— Fique fora disso, Cinderela. Faça seu caminho pra bem longe de mim.

— Quem você pensa que é?

— Não é da sua maldita conta, e, se aparecer na casa dela nos próximos dias, vou arrancar sua cabeça e jogá-la no Tietê. Mantenha distância até essa merda toda acabar.

— Nem em seus sonhos.

Babi saiu de trás do balcão e entrou pelo corredor que dava acesso à área dos funcionários. Seu chefe a seguiu. Jason e Murilo saíram do bar e os outros agentes os esperaram do lado de fora. Minutos mais tarde, eles viram a garota sair pelos fundos. Laura ainda tentou detê-la, mas ela se esquivou, deixando a namorada para trás.

Murilo deixou que ela caminhasse sozinha por algumas quadras e parou o crossover JX para ela subir. Babi não olhou para nenhum deles. Podia sentir a acusação em cada olhar.

# CAPÍTULO 6

**"No desespero e no perigo, as pessoas aprendem a acreditar no milagre. De outra forma não sobreviveriam."**

**Erich Remarque**

A volta para casa foi longa. Babi estava distraída e pensando que, se eles não a matassem dessa vez, Julián o faria em breve. Ela olhou para a estrada de repente e viu que não era o caminho para o seu apartamento.

— Você errou o caminho.

Murilo não olhou para ela. Estava lidando com a fúria da traição que queimava seu peito.

— Temos um novo lugar agora — respondeu.

— O quê?

— Você me ouviu.

— Mas eu tenho minhas coisas na minha casa.

— Babi, eu juro que, se você não fechar sua boca, vou fazer isso por você, e do meu jeito.

Eles estavam mais furiosos do que ela podia supor, muito mais. Ela não ousou falar mais nada. Quando chegaram a um edifício luxuoso da zona sul, ela pensou que eles não deviam ser policiais. Só podiam ser traficantes para dispor de tanto dinheiro.

O apartamento era uma cobertura duplex imensa. Os homens já tinham estado por ali porque havia um sistema de computadores muito moderno em funcionamento e telas planas com imagens que vinham de câmeras instaladas em diversos lugares, incluindo o bar e o seu pequeno apartamento.

Mal entrou e Babi foi agarrada pelos ombros e jogada na parede.

— Onde enfiou a porra do juízo, Babi?

Os homens a cercaram de maneira que ela não podia fugir dos seus olhares acusadores. Murilo estava descontrolado e gritava com ela.

— Maldição, mulher! Você fodeu com a operação hoje! Você protegeu o desgraçado que está arruinando a sua vida e a do seu irmão!

— Eu não fiz nada.

Ele a soltou e impôs distância porque não queria machucá-la.

— Você não usou seu comunicador para nos avisar. Deixou que o homem fosse embora. Se James não tivesse pego a transição do chip, nós sequer saberíamos o que tinha ocorrido!

O agente passou as mãos nos cabelos. Estava injuriado, inconformado. Sam, que ela conhecia como Mike, tentou acalmar os ânimos falando com voz suave:

— Escuta, Babi, se não pudermos contar com você, essa coisa toda vai empacar e não somos nós que seremos prejudicados. Se tentar enviar a mensagem decodificada antes de nos mostrar a rota, haverá consequências que você não conseguirá lidar.

Ramon foi mais duro com ela:

— Foda com nosso trabalho mais uma vez e eu vou me certificar de que sua Cinderela e seu amigo gazela paguem por seus erros.

Fritz esticou a mão.

— Agora, nos dê o chip.

Ela enfiou a mão no bolso e entregou o chip ao alemão. Os agentes o seguiram até a sala de tecnologia onde ele inseriu o minúsculo dispositivo no adaptador e abriu na tela plana do computador para que todos pudessem ver.

Babi continuou encostada na parede e os deixou trabalhar. Eram uns imbecis, uns retardados, e ela já estava farta de ouvir gritos de todos os lados e de pessoas que nem conhecia.

Ela também prestava atenção porque tinha que fazer esse trabalho rápido e aqueles agentes iam atrasá-la se quisessem ficar estudando a mensagem. Babi não entendia o interesse deles em copiar o conteúdo se não podiam compreender os códigos.

Para a surpresa de todos, um *setlist* com dez músicas apareceu na tela. Os clips das músicas também estavam inseridos no chip.

— Que droga é essa? Ele por acaso é um DJ?

Para que precisavam dela se iam ficar como idiotas na frente da tela tentando entender as coisas sozinhos? Ela olhou o relógio. Eram quase três da manhã. Estava cansada, com fome, preocupada e de saco cheio daquele pessoal todo.

Seu telefone pessoal tocou e Murilo veio até ela. Ele esperou que ela o tirasse do bolso e, antes que pudesse atender, ele pegou o aparelho da sua mão e desligou.

— Ei...

— Sem celular por um tempo.

— Você não pode fazer isso.

— Posso fazer o que eu quiser. Sou o chefe dessa operação. Se instale em um dos quartos, tome um banho e durma um pouco. A dispensa está cheia, caso esteja com fome.

Ela estava cansada demais para discutir, então, fez como ele ordenou.

Murilo entrou no quarto e encostou o ombro na parede para observá-la. Babi dormia tranquila. Deus, ele sentia muito, mas teria que ser mais duro com ela a partir de hoje.

Não esperava que ela não fosse colaborar. Havia confiado nela e quase que tudo se perdeu. A essa altura, Julián já estava atrás dela. Eles tinham conseguido localizar três pontos possíveis das instalações do cartel, de onde provavelmente tinha vindo a ligação particular, e onde, provavelmente, estava Tiago. A mensagem já tinha chegado até Dylan, que trabalhava o reconhecimento da área com uma equipe de apoio do FBI.

O comandante disse que primeiro precisavam interceptar a rota para depois agirem contra Julián porque era necessário descobrir quem era o facilitador americano antes de alarmar a situação.

Uma coisa era certa: alguém no bar estava por dentro da situação porque a luz se apagou no momento em que o contato estava encurralado. Alguém ali dentro os assistia de perto.

Sam estava estudando as imagens que eles recebiam via satélite por um aparelho instalado no bar. Cada rosto seria analisado, cada detalhe, retomado.

Ele respirou e voltou a observar a garota linda em seu sono tumultuado. Ele checou a relógio, ela tinha dormido por apenas três horas. Sabia que ela precisaria dormir mais, mas, se não sentisse que as coisas ficariam difíceis, fatalmente os trairia novamente.

Ele bateu a mão no interruptor e puxou o lençol de forma brusca.

— Acorda. Hora de trabalhar.

O agente viu-a se sentar atordoada na cama, sem saber o que estava acontecendo. Ela vestia uma camiseta velha e seus cabelos estavam desarrumados, mas era a visão mais sexy que ele podia ter dela.

— Ficou louco, Alan? Acabei de deitar.

— Cinco minutos pra você estar na sala dos computadores ou eu venho te buscar, e isso não vai ser muito agradável.

Ela foi resmungando até o banheiro e ele quase sorriu. Quinze minutos depois, ela entrou na cozinha ampla e toda equipada, atraída pelo cheiro do café fresco.

Ela encheu uma caneca grande só para vê-la ser tomada da sua boca antes que pudesse dar um único gole. Murilo despejou o café dentro da pia e se manteve muito próximo do seu corpo. Ele estudou o rosto dela com certa sensualidade, fitando a boca semiaberta que respirava com dificuldade. Ele falou com voz rouca, mas firme:

— As mordomias aqui, mocinha, são para os que colaboram. Você não parece fazer parte desse time. Sem café, então.

Ela olhou para ele com uma expressão incrédula e o empurrou para longe.

— Sem dormir, sem celular, sem café. Vai me deixar sem comer também?

— Não me dê ideias, neném, eu posso gostar delas.

Jason estava na cozinha com seu café e o tomou em grandes goles. Babi sentiu a garganta se fechar com a vontade de chorar. Seus olhos lacrimejaram, mas ela piscou várias vezes para evitar chorar. Respirou fundo e se recompôs;

chorar não salvaria sua pele nem a de Tiago.

— Temos uma situação. Você precisa dar uma olhada — Jason falou com Murilo.

O brasileiro o seguiu e deu sinal para Babi vir com eles.

Quando olhou no monitor, ela viu Will e Laura dentro do seu apartamento. Ela sorriu tristemente. Eram duas pessoas que realmente se preocupavam com ela. Talvez as únicas no mundo.

Fritz falou divertido.

— A gazela arrombou a porta. Até que é forte para uma bicha louca.

Babi se enfureceu com o tom de escárnio com que ele se referiu ao seu amigo e teve uma reação que nenhum deles esperava.

— É gay.

Ele se virou para ela, confuso.

— Como?

— Ele é gay, ou homossexual. É assim que se refere a alguém que gosta de uma pessoa do mesmo sexo.

— Eu sei.

— Se sabe, então respeite. Você não é perfeito, deve ter defeitos tão fodidos que levar um pau na bunda deve ser brincadeira de criança.

Os agentes ficaram chocados com o palavreado dela. Fritz estava visivelmente desconcertado.

— Eu vejo pessoas como você, que se acham superiores e não têm respeito pelo próximo e pelas escolhas dos outros, todo maldito dia da minha vida. E eu odeio, eu simplesmente odeio cada segundo que passo ao lado desses porcos nojentos e egoístas que não enxergam nada além dos seus paus duros. Agora, se você consegue pensar com alguma coisa além da sua cabeça de baixo, tire sua bunda fodida da cadeira e me deixe fazer meu trabalho, porque eu tenho um irmão que deveria estar na escola, namorando, jogando bola, fazendo planos para o futuro e que está feito refém de uma merda de um traficante que vai colocar uma bala na cabeça dele se eu não entregar a porcaria dessa mensagem no tempo determinado.

Os homens estavam petrificados, encarando-a com expressões

estupefatas. Fritz se levantou sem questionar. Ele era homem o suficiente para saber que não se enfrentava sem armas uma mulher enfurecida como a que estava diante dele.

— Ah, e caso você não saiba, o nome dele é William, mas você pode chamá-lo de Will.

Os agentes estavam mudos e de boca aberta. Murilo achou que deveria tê-la deixado dormir mais e servido a ela uma dose dupla de café quente e adoçado. Ela estava no limite. A voz calma e baixa era um sinal disso.

Jason cochichou para ele.

— O tal do amigo vai dar problema. Se ele alarmar o sumiço dela, chamar a polícia ou algo assim, as coisas se complicam.

Murilo checou o celular pessoal dela e viu as dezenas de chamadas perdidas do amigo e da namorada. *Que merda*. Duas mensagens, para sua surpresa, eram direcionadas a ele.

A primeira era de Will.

"Ou devolve o celular fofíssimo do meu docinho e me deixa falar com ela ou vou dar parte do sumiço dela na polícia."

A segunda, lógico, era de Laura.

"Você não vai se livrar de mim, por isso, desista. E mantenha suas mãos e qualquer outra parte do seu corpo longe do que é meu."

Ele teve que rir. Ameaçado pela porra da namorada dela. Só podia ser piada.

Ele entregou o celular à garota com uma ordem simples.

— Ligue para o Will e diga que está bem e que ele e a sua Cinderela devem se manter afastados.

— Não posso ligar pra ela?

—Não é necessário. Ele vai passar o recado direitinho.

— Ela vai surtar.

— Não é problema meu.

Cansada de tantas ordens, ela pegou o celular da mão dele e discou o número.

— Jesus, docinho, me diz para onde os deuses gregos te levaram.

— Estou bem, Will, apenas deixe isso pra lá, por favor. Não chame a polícia nem diga nada pra ninguém.

— O deus gaúcho está te maltratando?

— Não. Fica tranquilo, eu estou bem.

— Pelo amor de Deus, docinho, me diz onde você está.

— Na verdade, não sei te dizer o endereço, e, mesmo se soubesse, não me deixariam falar. A gente se fala outra hora.

Ela desligou e Murilo pegou o aparelho de volta. Ela murmurou baixinho, mas ele ouviu:

— Babaca.

Babi se virou para a tela e abriu o *setlist*. Estava dividido em duas rodadas de músicas. Ok. Muito fácil. Duas mensagens diferentes. Nenhuma novidade nisso.

Uma curiosa variedade de música que se iniciava com *Hips don't lie*, da Shakira, seguia com *Poeira*, da Ivete Sangalo, continuava com *Woman don't cry*, do Bob Marley, *La Barca*, de Luis Miguel e finalizava com *Santa Fé*, de Jon Bon Jovi.

— Muito óbvio — ela murmurou, e os agentes ficaram em alerta.

— O que é óbvio?

— Essa mensagem.

Eles olharam o *setlist* e tentaram acompanhar o raciocínio dela, mas não conseguiram.

— Poderia ser mais específica, Babi?

— Shakira é colombiana, Ivete é brasileira, Bob Marley, jamaicano, e Luis Miguel, mexicano. Jon Bon Jovi é norte-americano, como sabem, e atentem para o nome da música em questão. Em outras palavras: a droga vai sair da Colômbia porque esta música em particular fala de algo que vem da Colômbia, logo, temos que considerar que a mercadoria é exclusiva de lá e, ao invés de seguir adiante, ela vem para o Brasil, provavelmente porque o sistema de fronteira é corrupto e deve haver facilidade em ser enviada para a Jamaica, onde o controle federal é praticamente zero. De lá, segue para o México e será entregue em solo norte-americano na fronteira, mais especificamente na cidade de Santa Fé, conforme a letra indica.

— É esta a rota?

— Sim.

Os caras podiam ver com facilidade agora a leitura do contexto, considerando a colocação das músicas por nacionalidade dos intérpretes e a letra da primeira e da última música com o nome, claro e em bom tom, do destino inicial e final da mercadoria.

— Só isso? Tão fácil assim?

— Exato.

Babi pensou um pouco. Tinha alguma coisa errada. Nunca teve nas mãos uma mensagem tão fácil, tão ridiculamente óbvia. Os códigos sempre envolviam números e datas para serem combinados ou adivinhados, e até enigmas algumas vezes. Um *setlist* era muito suave. Não era do feitio do codificador facilitar tanto a vida dela. Era uma emboscada. Não era a mensagem original.

A segunda rodada de música estava aleatória e ela pensou que a letra de alguma forma traria uma mensagem particular.

Ramon se pronunciou:

— Mandamos a primeira mensagem para o Dylan agilizar o processo?

Murilo encarava a garota. Já a conhecia há algum tempo para saber que tinha algo errado. Ele esperou que ela se pronunciasse. Ia dizer sim a Ramon para testar a lealdade dela, mas, por Deus, se ela não dissesse a verdade, ele teria que ser drástico.

— Sim, Ramon. Envie a decodificação para o chefe.

Ela ainda olhou para ele e depois para Ramon, que tinha o celular na mão. Babi estava certa de que era uma cilada. O facilitador sabia que ela tinha companhia. Ele sabia e estava testando-a. Na certa, Julián seria avisado por outros contatos que a mensagem original ainda não tinha sido entregue.

O homem misterioso que negociava com o colombiano programaria uma emboscada no percurso da rota e pegaria os caras. Julián ficaria sabendo e mataria o irmão dela, e só Deus sabe o que faria com ela.

Entre a vingança de Julián e a ajuda dos homens que ela não tinha ideia de quem eram, a segunda opção era a menos letal.

— Espere.

Ramon interrompeu a ligação.

— É uma cilada.

Os agentes se agitaram. Sam ficou de frente para ela, os olhos estreitados e acusadores.

— Por que acha isso?

—Nunca recebi uma mensagem tão fácil. Foi programada para ser repassada rapidamente e sem dificuldades. Ele deve saber de vocês. Com certeza o contato de ontem estava testando se eu tinha companhia e nós caímos como patinhos.

— O seu contato já tinha o *setlist* programado e já o tinha entregado quando foi perseguido. Se o pegássemos, isso não afetaria seus planos sobre a falsa rota. Se apenas fôssemos vistos, como aconteceu, isso confirmaria as suspeitas dele de que você não é mais um trabalho seguro para Julián.

— Julián me perguntou no telefone onde eu estive. Ele estava testando minha lealdade. Talvez o facilitador já o tenha avisado sobre vocês.

Ela se levantou, preocupada, os olhos desesperados. Suas mãos tremiam.

— Ele vai matar meu irmão. Ele sabe. Ele sabe.

Murilo percebeu a histeria que ameaçava tomar conta dela e se aproximou, colocando as mãos em seus ombros gentilmente.

— Não se apavore. Você recebe a mensagem do facilitador e não do Julián. Nenhum deles tem ninguém eficaz como você para fazer o serviço. O homem não é burro e sabe que, se avisar ao traficante, ele vai matar o seu irmão, então, estará te libertando da escravidão que a mantém decodificando as mensagens.

— Eu senti, Alan, pela voz, ele não estava bem. Eles o maltrataram porque eu estou com vocês. Ele deve estar machucado. Tiago quer que eu desista porque ele quer morrer. Meu Deus, ele tem só dezesseis anos! Dezesseis! É um menino ainda, não tinha que estar passando por isso.

Murilo a abraçou forte e sussurrou no ouvido dela:

— Fica calma, neném.

Os agentes se entreolharam. Sabiam que a situação estava por um fio e que a probabilidade de o irmão dela estar vivo era muito baixa. A respiração da garota estava acelerada. Ela não era tola e sabia com quem estava lidando.

Murilo se sentiu uma merda vendo a reação desesperada dela. O irmão era seu único familiar. Babi estava há um ano trabalhando de graça para tentar livrá-lo de uma situação mortal. Sair vivo de dentro de um cartel de drogas não era exatamente algo fácil.

Babi se desvencilhou dos braços dele, muito alterada.

— Quem diabos são vocês? Olha só o que fizeram com a minha vida!

Ela definitivamente estava histérica agora e Murilo tentou se aproximar novamente.

— Estamos aqui para ajudar, Babi.

— Por que não me deixam em paz? Deus do céu, ele vai morrer! A culpa é de vocês! De vocês!

Ramon a segurou pelo ombro.

— Calma, pequena. Ainda não está tudo perdido. Não há garantias de que o facilitador vai contatar Julián. Além disso, tem a segunda parte da mensagem que ainda não sabemos o que diz. Teremos apoio, se precisarmos. Vamos arrumar uma solução. Estamos jogando no mesmo time.

Ela se afastou dele bruscamente. As lágrimas agora desciam pelo rosto dela sem nenhum pudor. Seus lábios tremerem ao falar:

— Mentiroso. Vocês invadiram minha casa, afastaram meus amigos, grampearam meu telefone, não me deixam dormir e não posso nem tomar um pouco de café quando acordo. É uma merda de vida mesmo.

Os cinco agentes estavam com o coração partido. Ela não era mais do que uma garota em uma situação muito, muito difícil. Murilo se sentiu mal. Passou da conta porque estava furioso. Queria que Babi tivesse colaborado, mas não avaliou a situação do ponto de vista dela: alguém lutando sozinha para preservar a vida do irmão. Sem família há anos, ela devia se sentir desamparada. Tobias veio da cozinha com uma xícara de café bem quente e a colocou na mão dela. Passando o braço pelos ombros da garota, sentou-a na poltrona confortável da sala de estar.

— Vamos precisar esclarecer alguns pontos sobre nós, mas não podemos fazê-lo sem permissão. Vamos ligar para nosso chefe para termos uma posição sobre o caminho que vamos tomar, agora que Julián sabe que você não está sozinha.

Ele afastou os longos cabelos do rosto de Babi.

— Não a temos como inimiga, pequena. Por enquanto, isso é tudo que precisa saber. Confie em nós.

— Co-como posso co-confiar?

— Você não foi capaz de confiar que Julián manteria seu irmão vivo mesmo sem nenhuma garantia de que ele cumpriria a palavra?

— Sim.

— Então, você é capaz de confiar que somos pessoas que podem te ajudar e que vamos fazer nosso melhor.

— Vocês são policiais?

Ele colocou um dedo na boca dela, silenciando-a.

— Sem perguntas por enquanto. Beba seu café e procure ficar tranquila. Você precisa descansar. Volte a dormir. Descanse. Nós estamos acostumados a lidar com situações caóticas. Você não, por isso está esgotada.

Ela se enrolou na poltrona e bebeu o café conforme tinha sido recomendado. Ouviu Mike falar com alguém que ela julgou ser o comandante que ela tinha visto nos Estados Unidos. Não queria saber o que estava sendo dito. Não era burra, eles eram agentes, talvez da CIA, já que eram norte-americanos. Ou talvez não fossem todos norte-americanos, afinal. Murilo era brasileiro. Devia estar na Polícia Federal.

A mente dela se desligou completamente. Estava exausta, necessitava dormir um pouco. Precisava tirar sua mente dos maus pensamentos ou simplesmente enlouqueceria.

# CAPÍTULO 7

**"De tudo que existe, nada é tão estranho como as relações humanas, com suas mudanças, sua extraordinária irracionalidade."**

**Virginia Woolf**

Murilo falou com os outros:

— Eu disse ao Dylan que a coisa precisava ser feita trabalhando com a verdade. Ela teria construído uma confiança em nós e nos alertado sobre o contato no momento em que ele a abordou. Teria dado tempo de pegá-lo e estaríamos um passo à frente de Julián.

Ramon concordou.

— Tenho que admitir que a coisa não funcionou bem do jeito que foi conduzida. O comandante às vezes exagera na cobertura da missão.

— Caralho, estou na cola dela há seis malditos meses! Eu sabia do que estava falando.

Sam ainda falava com Dylan enquanto os agentes discutiam as possibilidades.

Jason olhou para a garota adormecida na poltrona.

— Ela está rachada emocionalmente. Se Julián a pegar, ele vai destruí-la.

— Ele não vai pegá-la. Vamos elaborar um plano B e colocá-lo em prática para evitar que ela seja um alvo fácil para ele.

Fritz também a observava.

— Cara, eu já estive em lugares piores, em missões suicidas e tal, mas eu te digo, nunca alguém quebrou minhas pernas como essa pequena. O lance do "pau na bunda" foi pra arrebentar. Fiquei sem fala.

Os agentes tiveram que rir. De fato, eles gargalharam.

Jason retrucou divertido:

— Você foi estúpido. Cara, ela é gay, vai sempre defender os dela.

— Ela não é gay. Ela finge ser.

Os homens olharam para Murilo. Ramon retrucou, rindo:

— Alguém já avisou à Cinderela que a namorada dela não é gay?

O brasileiro revirou os olhos, impaciente. A simples menção de Laura o irritava. Jason observou a expressão do colega e bufou surpreso.

— Cara, você está a fim dela?

Ramon riu alto e respondeu por ele:

— O campeão aí acha que a expressão "estar a fim" não se encaixa.

— Pois eu acho que se encaixa perfeitamente, pelo que vejo. Podemos tentar também "estar atraído" ou "estar com tesão".

— Cala a boca.

Sam interrompeu a conversa dos colegas.

— Dylan não quer que ela saiba sobre nós. Acha que ainda é muito cedo e arriscado. Disse que, se Julián puser as mãos nela, nossa identidade será corrompida.

— Em outras palavras: ele acha que ela nos entregaria.

— Sim.

— Que idiota.

Murilo estava inconformado e Sam defendeu o comandante.

— Não de todo. Ela tem uma meta, que é preservar a vida do irmão, e faria de tudo para mantê-la. Ela nos entregaria fácil se isso significasse salvar o Tiago. Vimos isso ficar evidente no bar ontem. Ela protegeu o contato. Deu a ele minutos preciosos que o ajudaram a fugir.

— E ela vai continuar fazendo coisas estúpidas como essa, uma vez que não tem ideia de quem somos e qual o nosso propósito aqui.

— Eu sei. Não discordo de você, e acho que conduziu tudo muito bem, mas o facilitador estava à nossa frente.

— Como ele soube de nós em apenas dois dias?

— Tem alguém que convive com ela que está observando e passando as informações. E é a mesma pessoa que apagou a luz do bar para ajudar o contato na fuga. Temos a vantagem da paralela 2. Ele não conseguirá nos rastrear.

— A namorada ou a gazela, talvez?

Todo mundo olhou para Fritz em advertência, e ele rapidamente corrigiu.

— Digo, o amigo?

— Temos que desconfiar de todo mundo. Pode ser o chefe, a faxineira, um dos seguranças. Vamos ter que apertar o cerco na vigilância do bar.

— O facilitador, ou até o próprio Julián, colocará sombras para nos vigiar. Temos que convencê-lo de que trabalhamos para um grupo rival e estamos tentando sabotar a entrada da droga para aumentar nosso próprio comércio. Ele pode retaliar ou tentar um acordo. Vamos ter que representar sermos traficantes e distribuidores e deixar a garota como vítima. Há uma chance de ele repensar sobre ela se achar que a Babi está conosco como nossa prisioneira, e não como nossa aliada.

— Bem, ela não vai ter que representar.

Murilo encarou o rapaz, surpreso.

— Por que diz isso?

— Você não a deixa dormir nem falar com o amigo. Apreendeu o celular para impedi-la de se comunicar com a namorada e vetou o fiel companheiro, Sr. Café, que ela tanto ama. Isso não é uma atitude amigável.

O agente brasileiro teve que se segurar para não dar um murro na cara do latino.

— Tive meus motivos para agir assim. Estávamos todos putos com ela, e não finja que não.

Jason concordou com Ramon.

— Mas o café foi cruel. Cara, não se nega café pra ninguém. Juro que partiu meu coração ver você tirar a xícara da boca dela.

— Seus desgraçados! Quando eu cheguei à Base, ela estava seminua em uma sala gelada, sem comer e sem beber por mais de vinte horas.

— Bom, isso foi ordem do Dylan. Eu não teria feito.

— Nem eu.

— Tampouco eu.

— São todos bons samaritanos agora, hein? Vão para o inferno, então.

Sam deu risada e continuou.

— Ok. Temos bastante tempo até a noite. Hoje é domingo. Chequei a rotina pela internet e o bar fecha mais cedo. Em geral, tem movimento de baixo a moderado. Julián não deve agir nos próximos dias porque não vai receber a decodificação. Se tivermos sorte, o facilitador será cauteloso e não vai revelar a ele sobre nós porque espera que sigamos a falsa rota, então, vai ser *relax*. Podemos nos redimir com ela comprando o almoço e convidando a Cinderela e a gazela, digo, o amigo, para virem.

Murilo se opôs firmemente.

— Apenas o amigo.

Os caras riram.

— Está ficando bastante pessoal isso, campeão.

— Pensem o que quiserem, não quero a Laura aqui. Ela é um pé no saco.

— Acontece que ela não é a sua namorada, é da Babi. Então devíamos deixar que ela chegasse a essa conclusão, ou não?

Muito, muito contrariado, ele ligou para Will, que atendeu ao primeiro toque.

— Docinho? Está tudo bem?

— Ela está bem. Anote o endereço para vir e traga a namorada dela, se quiser. Não fale para mais ninguém para onde está vindo.

Murilo pediu o almoço e os caras se espalharam pela casa. Alguns nos computadores, outros na TV, e jogando baralho para esperar a refeição.

O agente foi até a poltrona, pegou a garota adormecida no colo e a levou para o quarto para que ela pudesse dormir mais confortavelmente. Os rapazes olharam a cena e sorriram. Estava ficando evidente que Murilo sentia algo especial pela decodificadora e eles acharam que ia ser divertido assistir a disputa entre ele e a Cinderela.

No quarto, o agente colocou Babi na cama de casal e tirou os tênis dela, puxando o lençol em seguida para cobri-la. Ele ficou olhando-a e então se sentou na beirada da cama para observá-la em seu sono.

Seu estômago se retorceu de vontade de tocá-la, beijar sua boca macia novamente e lhe mostrar o que ela estava perdendo por se enganar, por mentir para si mesma.

Ele levantou e fechou a porta. Então, voltou para a cama e se acomodou ao lado dela. Colocou parte do cabelo muito liso dela atrás da orelha e tocou seu rosto suavemente, descendo os dedos pelo contorno da mandíbula. Ele baixou a cabeça e depositou um beijo terno nos lábios dela.

Quando se afastou, ela estava de olhos entreabertos. Babi passou a língua umedecendo a boca e sussurrou para ele com voz sonolenta:

— O que está fazendo?

— Beijando você.

Ele espalmou a mão na nuca dela, acariciando seus cabelos preguiçosamente, o polegar indo e vindo na parte de trás da orelha numa carícia gostosa.

— Eu quero te beijar, Babi.

— Alan, eu...

— Shhhh. É só um beijo.

Ela virou o corpo e seus olhos denunciaram o desejo. Ele não hesitou e colou a boca na dela com vontade. Era isso, ele estava com vontade dela. Há dias, há meses, para dizer a verdade.

Ele sugava os lábios dela, saboreando-os lentamente. Sua língua deslizou para dentro da boca para sentir o sabor de café junto com o sabor de Babi. E ele pensou que era delicioso.

Babi deixou que ele comandasse. Ela colocou a mão em seu rosto e se entregou ao beijo. Desde que ele a tinha provocado em seu quarto, ela estava faminta por beijá-lo. Para sua surpresa, ele fumava. A garota nunca o tinha visto fumar, embora sentisse o cheiro de tabaco pela casa, mas podia sentir o gosto de chiclete de hortelã com uma pitada do sabor do cigarro, e ela adorou.

Quando era adolescente, sua mãe sempre a repreendia por gostar dos meninos que fumavam. Ela gostava de beijá-los e sentir o aroma do cigarro.

Para muitos, era fedorento, mas para ela cheirava a masculinidade e isso a excitava. Achava sexy.

Definitivamente ele era o tipo dela. Era uma escultura de beleza muito masculina que mantinha os cabelos lisos ligeiramente repicados e longos.

Ela amava cabelos com franjas longas que cobriam a orelha e compridos o suficiente para cobrir a nuca porque gostava de deslizar os dedos sobre eles, e foi isso que fez.

Murilo gemeu baixinho quando ela movimentou os dedos nos fios que caíam sobre seu pescoço. *Deus, ele a queria*. Queria fazer tudo com ela. Por um momento, ele achou que podia.

O beijo foi ficando mais profundo e promissor. As línguas se esbarrando e duelando entre si. Ele aproximou seu corpo do dela e enlaçou sua cintura, puxando-a para mais perto. Babi era tão pequena se comparada a ele, tão singela, e ainda assim tão perfeita, que ele enlouqueceu quando tocou a pele descoberta da barriga.

— Deus, eu te quero, neném.

A boca dele desceu pelo pescoço de Babi, beijando toda a extensão, e capturou os lábios dela novamente enquanto sua mão subia e encontrava a maciez do seio. Ela gemeu quando ele passou o polegar pelo bico sensível e ele perdeu o último resquício de controle.

Murilo tirou o lençol de cima dela e subiu a camiseta da garota, expondo os seios perfeitamente firmes e redondos. Os mamilos rosados estavam intumescidos e ele os beijou com carinho e gentileza.

Babi se retorceu com a sensação deliciosa que aquilo causou em seu interior. Então, o homem soltou um grunhido alto e o chupou com vontade, mordiscando o bico enquanto sua mão descia por entre as pernas dela, que recuou diante do gesto.

— Não.

— Por favor, não me diga não. Está tudo bem.

— Não. Não posso fazer isso.

Ele cobriu a boca dela querendo fazê-la mudar de ideia. Estava com tanta vontade dela que não se achou capaz de parar. Tentou tirar a camiseta da garota, mas ela o impediu, segurando o rosto dele com as duas mãos.

— Temos que parar. Não é certo, você sabe disso.

Murilo gemeu sua frustração e caiu do lado dela. Ele ajustou o membro dentro da calça, tentando ficar mais confortável, mas o maldito estava mais duro do que uma barra de ferro. Ele fechou os olhos e tentou controlar a respiração. Esteve tão perto de tomá-la para si, tão perto, que quase podia sentir a sensação do êxito final do seu corpo desesperado por encontrar alívio.

Murilo virou a cabeça e sorriu. Babi notou que o sorriso dele era lindo, de moleque feliz. Os lábios inferiores eram mais grossos e — agora ela sabia —, muito gostosos e sensuais.

Murilo se apoiou em um cotovelo e a puxou para mais perto, colocando uma parte do seu corpo sobre o dela. Olhando-a de cima, ele brincou com seus cabelos.

— Seus amigos vêm para almoçar.

— Vai deixá-los vir?

— Sim. — Ele acariciava o rosto dela com o dedo indicador. — Precisamos de você ao nosso lado. Queremos que confie em nós. É uma prova de confiança que estou te dando.

Ela concordou sem dizer nada porque seu corpo ainda estava reagindo ao dele. A carícia no rosto lhe enviava arrepios por toda a coluna e o rosto dele tão próximo era muito tentador. Ele a beijou suavemente antes de falar:

— Me diz, neném, por que fingir ser algo que você não é?

Ela ficou tensa.

— Não se engane comigo, Alan. Sou exatamente quem você vê.

— Você não é gay, não tente me convencer do contrário.

— Só porque deixei você me beijar não significa que eu não seja.

— Não foi apenas o beijo. Tenho trinta e um anos. Já tive muitas mulheres e reconheço quando sou desejado, quando reagem ao meu toque, ao meu beijo.

Ele roçou sensualmente seus lábios nos dela.

— Você tem tesão por mim, Babi, eu vejo isso em cada parte do seu corpo.

— Tenho uma namorada.

— E não transa com ela.

— Isso não é da sua conta.

Ela tentou se levantar, mas ele a impediu e falou baixinho:

— É só deixar de ter.

— Não é simples assim.

— Por que não?

— Porque não quero magoá-la.

— Então está me dizendo que fica com ela porque tem pena?

— Não disse isso.

Ela se remexeu e ele fez mais pressão em sua cintura para mantê-la perto. A voz rouca e sussurrada em seu ouvido a fez se arrepiar como há anos não acontecia.

— Fica comigo. Deixe-me fazer amor com você, te provar que é a mim que você quer. Deixe-me te dar prazer, satisfazer suas vontades. Vai ser bom... Deus, vai ser mais do que bom.

A mão dele subiu da cintura para a barriga plana e depois desceu para as coxas. A boca dele acariciou o lóbulo de sua orelha e Babi tentou ser forte e resistir àquela tortura maravilhosa a qual ele a estava submetendo.

— Não transo com homens.

A afirmativa dela o fez estreitar os olhos.

— Quem te magoou dessa forma?

— O quê?

— Você me ouviu. Quem te feriu a ponto de ter feito você desistir da sua sexualidade, de fazê-la odiar toda a raça masculina com tanta veemência?

— Ninguém. Não odeio a raça masculina, apenas não me sinto... à vontade com os homens.

— Você estava bem à vontade comigo há um minuto.

Ela desviou os olhos e ele achou por bem não forçar uma confissão que ela não estava pronta para dar.

— Quero te pedir uma coisa.

— O quê?

— Não quero que você deixe a Laura te tocar mais.

Ela arregalou os olhos, espantada, e afastou as mãos dele para poder se levantar. Ele deixou que ela saísse dos seus braços. Depois, encostou-se na cabeceira da cama e olhou-a, avaliando sua reação. Babi começou a prender o cabelo em um rabo de cavalo.

— Alan, olha, o que aconteceu aqui foi um deslize.

— Não. Foi tesão, atração, química.

— Mas eu tenho uma namorada e isso não pode acontecer mais.

— Ah, pelo amor de Deus, você nem gosta dela!

— Isso não é verdade.

— Ela não te acende, não te provoca nenhuma reação. Posso ver como você a trata, mal pode tolerar que ela fique perto.

— De onde tirou essa ideia?

— Observando.

Ele se levantou e se aproximou dela, que tentou escapar, mas foi pega facilmente e se viu rodeada pelos braços fortes de Murilo. Seu um metro e sessenta e cinco pareciam ainda mais insignificantes perto do um e oitenta e sete dele. Murilo trouxe o corpo dela para bem junto do seu e a segurou firme pela cintura. Amava a sensação de tê-la toda em seu círculo fechado. A mão atrevida escorregou da cintura para o bumbum, apertando a carne macia e redonda enquanto sussurrava roucamente no ouvido dela:

— Ela pode te fazer sentir isso? Você está trêmula, posso sentir seu coração acelerado.

Deus, Babi sabia que ele tinha razão, porque podia sentir os joelhos fracos. Era muito homem para o pouco que ela tinha para oferecer. Seu coração não queria se abrir para um relacionamento convencional. Ela sabia o resultado. Sabia as consequências que vinham mais dia, menos dia, mas, Jesus, era muito bom sentir um corpo masculino quente, excitado e cheio de desejo por ela. Anos se passaram desde que ela esteve assim com um homem, desde que se permitiu amar e se envolver seriamente. Mas agora não era a melhor hora para isso. Não podia se dar ao luxo de repensar sua escolha. Tinha feito um juramento e ia com ele até o fim.

— Alan.

— Hum.

Ele estava percorrendo uma trilha de beijos molhados em seu pescoço tão ternamente, e a sensação era tão boa, que ela não conseguia encontrar o tom firme e convincente que precisava para afastá-lo. Colocou as mãos no peito dele com a intenção de empurrá-lo, mas de repente se viu acariciando-o e desejando que ele não parasse nunca. Ela fez uma nova tentativa fraca e vã de convencê-lo.

— Você tem que parar. Eles vão chegar daqui a pouco.

— Me diz que não vai ficar com ela.

— Não posso te dizer isso.

Ele parou de repente, endireitou o corpo e a soltou. Sua expressão agora estava azeda e mal-humorada. Murilo olhou para ela e quase rosnou quando falou:

— Estou te falando, Babi. Não fique com a porra da sua namorada na minha frente.

Pelo tom de voz raivoso, ela soube que ele estava falando muito sério.

— Você não tem esse direito. Não pode vetar minha relação.

— Pague pra ver.

Murilo abriu a porta e saiu do quarto, batendo-a com força. Respirou fundo. Ela tinha razão. Não tinha o direito de estar com ciúmes, mas estava. Caramba, estava ciumento e com raiva como o inferno de saber que Laura ia colocar as mãos nela. Babi ficou parada em pé, surpresa. Ele estava a fim dela e ela estava muito, muito a fim dele também. Só não podia começar nada por vários motivos. Homens eram assim mesmo, mostravam-se perdidamente apaixonados e amáveis no início e, depois, quando te conquistavam, simplesmente mudavam de ideia.

Ela já tinha vivido essa dor e jurou que nunca mais passaria por isso. Tesão era passageiro, mas as feridas de uma relação dolorosa ficavam para sempre.

# CAPÍTULO 8

**"Você é livre para fazer suas escolhas, mas é prisioneiro das consequências."**

**Pablo Neruda**

— Ah, docinho, não acredito que você está bem. Quase enfartei sem notícias suas.

Will deu um abraço carinhoso na amiga e entregou a garrafa de vinho branco que tinha trazido para o almoço. Ele entrou no apartamento e ficou extasiado com a decoração fina, com a amplitude do lugar, e imaginando o tanto de dinheiro que o imóvel custava.

Laura vinha logo atrás e sorriu amplamente. Ela enlaçou a cintura de Babi e se inclinou para beijar a boca da garota sem cerimônias. A decodificadora deu um passo para trás e se esquivou da moça, fechando a porta. Ela colocou os cabelos atrás da orelha e deu uma olhada geral, esperando que Alan não estivesse por ali.

O aviso de Murilo estava pairando sobre a cabeça dela e Babi tinha medo de ele reagir contra Laura. Não que as coisas estivessem nesse pé entre eles, claro que não, mas, em poucos dias, ela pôde ver como ele podia ferver em uma situação e deixar as coisas ruins de um minuto para o outro.

A comida tinha chegado há dez minutos e Sam já começara a comer. Jason e Fritz fizeram companhia. Assim, quando os amigos entraram na cozinha, encontraram os homens praticamente terminando a refeição.

Laura estava mais calada do que o habitual, pensativa até, e Will contava coisas sobre o bar e o que tinha acontecido depois que Babi tinha ido embora mais cedo.

Eles abriram o vinho e foram comer. Will disse baixinho para a amiga:

— Me lembra de te dizer uma coisa depois do almoço.

Laura olhou para ele curiosa, e ele fez sinal de que não queria ser ouvido, então, ela falou baixo:

— Eles não entendem português, Will. Pode falar. Também quero saber.

Babi se opôs.

— Não. Diego pode compreender e Alan também.

— Mas eles não estão aqui.

Babi negou com a cabeça.

— A casa está cheia de escutas e de câmeras, meu bem.

Laura se estressou com a forma que Babi se dirigiu a ela.

— Que áspera... por que isso?

— Não estou áspera, apenas... um pouco estressada.

— E desconta em mim?

Will olhou de uma para a outra.

— Docinhos, sem DR na hora do almoço, por favor.

Laura alterou a voz.

— Só casais de verdade têm DR, Will, e acho que não é o caso aqui.

Babi ficou surpresa com a reação da namorada.

— O que você está dizendo?

— Nós estamos juntas?

— Não estamos?

— Não sei. — Laura se levantou da mesa e cruzou os braços. — Eu não estou ficando com ninguém além de você.

— E eu estou?

— Não está?

Babi também se levantou. Sam, Fritz e Jason olhavam curiosos, mesmo sem entender o teor da discussão. Estavam quase se divertindo em ver as garotas tendo uma briga de casal.

Laura repetiu a pergunta.

— Não está, Babi?

— Para com isso.

— Se não ficou com ninguém, quem fez isso no seu pescoço?

Laura ergueu o cabelo da namorada e Will teve que se levantar para ver.

— Ai, docinho... Sinto te informar que você tem uma evidência nua e crua.

Babi fechou os olhos, mortificada. Maldito Alan. Ele tinha feito de propósito a marca porque sabia que Laura viria para o almoço.

Ramon e Murilo apareceram na cozinha e sentiram a tensão. Will olhou o agente a tempo de vê-lo sorrir discretamente. O homem enfrentou o olhar do amigo da garota e seguiu para o balcão a fim de se servir. Ramon parecia não entender nada do que estava acontecendo e foi almoçar também.

Laura deu as costas para Babi e saiu da cozinha a passos largos. Babi correu atrás dela.

— Espera. Laura, espera.

A moça se virou com raiva.

— Você me deve respeito, Babi. Se vai ficar se agarrando com alguém além de mim, então tem que no mínimo ser honesta.

— Eu posso explicar.

— Espero que possa mesmo ou eu juro que nunca mais falo com você.

Babi estendeu a mão e elas foram para a varanda. Ela fechou o vidro para não serem ouvidas e esperava que ali não houvesse um microfone através do qual um deles pudesse acionar a conversa em um alto-falante.

— Foi o gaúcho, não foi?

— Ele me beijou e eu deixei. Desculpa, eu estava emocionalmente abalada e apenas deixei a coisa ir.

— Você gostou?

Babi olhou para a outra e desviou os olhos para a rua. Laura bufou de frustração e respondeu por ela.

— Gostou. Que ótimo.

— Nunca te enganei, Laura. Nunca te disse que não gostava de homens. Você sempre soube da minha verdadeira opção.

— Mas nunca me deixou saber que sentia falta. Disse que queria algo diferente e pensei que estava firme na sua decisão.

— Não é como se eu sentisse falta de verdade e...

Laura colocou a mão no rosto dela.

— Você é importante pra mim, não quero te perder.

— Você não vai.

Elas se abraçaram e o que Murilo falou para ela no quarto pela manhã ficou muito evidente para Babi: Laura podia ser a melhor namorada que alguém podia ter, dedicada e prestativa, mas era bem mais como uma amiga, uma boa companhia que ela tinha há um tempo e nada além. Ela não se acendia ou se arrepiava, sequer tinha aquele desejo louco de passar o dia todo na cama sem pensar no mundo lá fora.

Murilo a fazia se sentir assim, e ele era muito perigoso. Ela mal o conhecia e ele era homem, o que o tornava como qualquer outro: insensível, autoritário e manipulador.

Laura tentou beijá-la e novamente Babi não permitiu, apenas encostou a testa na da namorada, que nem de longe parecia uma namorada de fato.

— Quero você longe dele.

— Isso não é possível no momento.

— Você não vai resistir, vai pra cama com ele.

— Não é bem assim... Vai ficar tudo bem.

A namorada se afastou e olhou para ela.

— Ele te come com os olhos, eu vejo. É o tipo de cara que impõe sua presença e não dá espaço para negações, e você está atraída por ele.

— Não estou.

— A quem tenta enganar? Se não estivesse, não estaria agora com uma marca no pescoço, e não estaríamos tendo essa conversa.

Babi suspirou e se recostou no parapeito com os braços cruzados sobre os seios.

— Laura, o Ti está em uma puta enrascada. Eu não sei quem são esses caras, mas estou presa a eles para tentar tirar meu irmão vivo dessa situação. Não sei se são policiais ou bandidos, o que sei é que não tenho tempo para problemas de relacionamento agora.

— É ruim assim?

— Muito pior.

— Pior quanto?

— Tráfico internacional.

— Caralho.

— Eu só tenho você e o Will, e tem sido assim por muito tempo, você sabe. Gosto de tê-los por perto para manter meu pé no chão, minha sanidade mental, mas preciso dessa liberdade de ir e vir tal como era antes. Funcionava pra gente.

— Entendo. Desculpa, fiquei com ciúmes.

— Tudo bem.

Laura encostou seu corpo no de Babi, que enlaçou sua cintura, e elas ficaram assim, abraçadas, cúmplices.

Assim que as garotas saíram, Will voltou para seu almoço. Murilo sentou na cadeira ao seu lado, seguido por Ramon. Ele comia em silêncio, sua mente imaginando um monte de porcarias que as duas podiam estar fazendo.

Tentou pensar em outra coisa, mas não conseguia. Will observava a expressão dele, curioso. Como um bom tagarela, puxou o assunto:

— Você está bagunçando a vida dela, gaúcho.

— Meu nome é Alan. E fale em inglês pros caras poderem entender.

— Eu sei, mas prefiro gaúcho. É mais fofo. E eles não precisam entender tudo.

Murilo olhou para ele, carrancudo, e Ramon riu. Will continuou e seguiu a ordem de falar em inglês. Ele era um cara culto, afinal falava inglês, espanhol e italiano. Tinha viajado por muitos países fazendo cursos sobre bebidas e apreciando a vida noturna ao redor do mundo.

Ele tinha consciência de que os caras achavam que ele era apenas uma bicha louca sem cérebro, mas ele era estudado, graduado. Tinha um bom salário como barman e era respeitado como um profissional sério e de qualidade.

— A Laura está uma fera com seu assédio em cima da namorada dela, ela percebeu como você olha pra Babi.

— Problema dela.

— Elas estão juntas há um tempo já.

— Aonde você quer chegar?

— Não quero que a magoe, Alan.

O agente olhou para ele, os olhos desafiadores.

— Meta-se com a sua vida.

— E você com a sua. Deixe-a em paz.

— Você já terminou seu almoço. Por que não se junta a elas?

— Porque não quero atrapalhar. Elas devem estar... fazendo coisinhas, você sabe. Não vou interromper.

Murilo sentiu o sangue ferver e se levantou, dando uma ordem ao amigo da garota.

— Vai lá. Inventa alguma coisa e entra no quarto.

— Está louco? Não vou fazer isso.

— Anda logo.

Murilo o pegou pelo braço e levou-o para fora da cozinha.

— Meu Deus, a coisa é séria mesmo. Estou bege.

— Fique da cor que quiser, mas não saia do quarto enquanto elas estiverem por lá. Não as deixe sozinhas, está me entendendo?

— Se meu braço ficar roxo, você será o culpado.

Murilo soltou o rapaz e indicou com a cabeça que ele devia ir adiante. *Maldita gazela, tinha colocado um monte de coisas na cabeça já cheia dele.* O agente voltou para a cozinha e não terminou a refeição. Ramon olhou sério para ele.

— Cara, você tem uma situação muito séria com isso que tá sentindo.

Melhor controlar suas emoções até essa merda toda estar resolvida.

Jason concordou com Ramon, e Sam colocou a mão sobre o ombro do colega.

— Ela é linda mesmo. É muito fácil perder a cabeça com uma coisinha daquelas por perto. Você só tem que convencê-la de que não é gay.

Os caras riram e ele passou as mãos pelos cabelos.

— Você está numa bagunça aqui. Vai ter que limpar a sujeira e logo — Fritz falou e todo mundo concordou.

Essa era uma expressão de agente. Estar em uma bagunça queria dizer que tinha problemas, e limpar a sujeira era a uma forma de dizer que as coisas tinham que se resolver.

Murilo estava se controlando para não tirar Laura de perto de Babi. Ele ficava repetindo para si mesmo que não tinha direitos sobre ela. Nenhum. Que merda. Não podia acreditar que estava assim por causa de uma mulher. Nunca tinha se sentido assim por ninguém, e aconteceu justo por uma garota teimosa que colocou na sua cabeça dura que ser gay era sua melhor opção. *Maldição*.

*Deus do céu, precisava de um cigarro*. Ele pegou o maço em cima do balcão e foi para a varanda, onde deu de cara com os três amigos rindo juntos. Babi estava encostada em Laura, que mantinha os braços enlaçando a cintura da garota e o queixo apoiado no ombro dela. Parecia íntimo e aconchegante estar ali. Ele sentiu o ciúme o consumir por dentro.

Cinderela uma ova, ela era a porra da bruxa que estava assombrando a vida dele e impedindo que as coisas com Babi pudessem caminhar como ele queria.

Passou por eles sem olhá-los. Ramon o seguiu e Jason também. Eles já tinham seus cigarros acesos e o acompanharam para o terraço da cobertura. Babi ficou olhando e Laura bufou. Will secava os caras, agradecendo a Deus pela visão celestial que estava tendo.

Babi se perguntava o que tinham esses homens que ficavam tão sexy com o cigarro na boca. Ou talvez fosse ela. Podia ser uma fedentina que fazia mal à saúde, mas que os deixava com cara de *bad boys* hollywoodianos, isso ninguém podia negar.

Embora não fumasse, Babi tinha um fraco, um fraquíssimo, por homens que fumavam. *Que droga.* Ela se corrigiu. Precisava fazer disso um mantra na sua vida. Homens sempre seriam como um verbo conjugado no passado. Seu presente era gay e ela estava feliz assim. Pelo menos era no que queria acreditar.

Sam veio até ela.

— Você precisa decodificar a segunda mensagem. Temos que saber o que tem lá.

— Tudo bem.

Ela se dirigiu até os computadores e Will ficou ao seu lado enquanto Laura se espreguiçava na poltrona. Sam e Fritz se curvaram sobre os laptops, monitorando os vídeos.

Will comentou baixinho:

— Ontem eu vi uns caras falando de você para o Giovanni.

— Quem eram?

— Não sei. Não me lembro de tê-los visto antes.

— O que eles queriam?

— Não peguei a conversa toda, mas algo sobre tê-la exclusiva em um evento.

— Um evento?

— Sim. Nunca o Giovanni fechou para eventos privados com apenas um membro da equipe de balcão, mas parece que eles ofereceram uma grana descomunal para que fosse como eles queriam.

— Vou ter que dizer isso aos caras.

— Faça o que quiser com a informação, docinho, mas tome cuidado. Não sei se é seguro você aceitar o trabalho.

Ela concordou.

— Mike?

— Sim.

— Will me trouxe uma informação sobre o bar.

Fritz e Sam a olharam.

— Que tipo de informação?

— Houve um pedido de trabalho exclusivo para uma festa privada.

— Isso não é comum?

— Não. As festas privadas acontecem sempre, mas são vendidas com toda a equipe do balcão. Dessa vez, os caras querem que seja apenas ela — Will explicou.

Sam deu uma olhada para Fritz, que se levantou e foi chamar os demais. Em cinco minutos, os agentes estavam reunidos e ouviram Will repetir o que acabara de dizer. Ramon não teve dúvidas.

— Julián está por trás disso.

Murilo questionou Will:

— Quando é o evento?

— Na próxima semana. Como ele nunca fecha festa privada no fim de semana, é possível que seja na terça ou na quarta. Com certeza ele vai avisar Babi hoje e dar as coordenadas.

— Vamos estar lá. Mike, temos que chamar Dylan e agilizar algumas coisas.

O agente concordou e eles se fecharam em assuntos que Babi, Will e Laura não podiam compreender.

Sam mandou que Laura e Will ficassem no quarto enquanto a segunda mensagem era trabalhada. Os dois obedeceram, preocupados com a amiga. Babi voltou sua atenção para o computador e tentou se concentrar na segunda parte da mensagem, que trazia outras cinco músicas. O *setlist* tinha Nickelback, Maná, Rammstein, Linkin Park e Legião Urbana.

A garota se curvou sobre a mesa. Cinco bandas de países diferentes. Seria a rota verdadeira? Dificilmente. O Canadá nunca estava na rota do tráfico, nem a Alemanha.

Ela olhou as músicas, buscou as letras e as imprimiu. Leu e releu os textos, mas aparentemente não havia nenhuma mensagem encoberta. Ela buscou os vídeos. Assistiu um por um mais de uma vez. Os agentes observavam. Não tinham ideia do que ela buscava.

Babi se inclinou na cadeira giratória e começou a pensar. Havia um propósito de terem sido colocadas apenas bandas, e não cantores solos. Ela pegou o bloco de anotações e escreveu o nome das bandas e seus países de origem. Havia um detalhe: todas as bandas estavam cantando em inglês, inclusive a brasileira.

A garota foi para o quarto, precisava se arrumar para o trabalho. Laura e Will foram para a sala enquanto a amiga tomava banho. Ela não conseguia desbloquear a mente para o recado. Sabia que era algo particular que o facilitador queria lhe mostrar.

Qual o significado de uma banda?

Conjunto de pessoas que se reúnem para fazer uma coisa em comum. Ela podia dizer que era um trabalho em equipe, e não individual. O fato de estarem cantando em inglês podia ser porque acharam um meio comum de comunicação universal. Sim. Fazia sentido.

Ela se trocou e voltou para a sala. Os homens limpavam suas armas, que estavam em cima da mesinha de centro da sala. Eles conversavam em inglês e riam, enquanto arrumavam e poliam seus brinquedinhos muito modernos.

Will tinha os olhos arregalados para a quantidade de armas que eles carregavam. Ela se encostou no batente da porta e ficou observando os cinco.

CINCO! Ela olhou para a imensa tela do computador com as cinco bandas. Todos falando em inglês, todas cantando em inglês. Ela caminhou até a sala e observou. Uma equipe formada por cinco pessoas de nacionalidades diferentes que usavam o inglês para se comunicar. BINGO!

Mike sem dúvida era norte-americano. O sotaque texano era muito acentuado. James tinha um sotaque diferente. Canadense? Ela não podia saber, nunca esteve no Canadá e não era familiarizada com o acento vocal das pessoas de lá. Diego disse que era da Venezuela, mas agora podia apostar que ele era mexicano; Alan era brasileiro, e Tobias só podia ser alemão. Claro, os cabelos acobreados eram comuns no povo europeu.

Ela olhou para eles e entendeu o recado. O facilitador conhecia os caras. Sabia quem eram, o que eram e de onde vinham. A garota tinha os olhos estreitados com o pensamento.

Sam cutucou Murilo, indicando o comportamento da garota.

— Está tudo bem, Babi?

— Sim. Eu tenho a segunda mensagem.

Os agentes agora prestavam atenção nela.

— E o que tem de importante nela? — Ramon quis saber.

— Vocês.

Sam colocou sua arma na mesa.

— O que disse?

— A mensagem é sobre vocês. O facilitador sabe quem são e que estão aqui.

Ramon deu um pulo do sofá.

— Porra, ele sabe nossa identidade?

Murilo se aproximou.

— Explica isso direito, neném.

A moça explicou a eles o seu raciocínio. Mal terminou de falar e já viu Sam discando no celular e em seguida falando:

— Dylan, temos uma situação aqui.

A preservação da identidade do grupo era primordial para as missões secretas. Estava fora de questão perdê-la, porque toda a estrutura de trabalho da agência estaria quebrada. Murilo podia ser um agente conhecido pelos órgãos nacionais, mas não era nas organizações criminosas, e isso valia muito.

Se um traficante como Julián fosse capaz de identificá-los, a merda toda seria jogada no ventilador e eles acabariam atrás de uma mesa cheia de papéis nos escritórios das agências espalhadas pelos Estados Unidos, fazendo a droga do serviço burocrático entediante e sem graça. Eles eram agentes, amavam o perigo, a adrenalina que o trabalho proporcionava. Nem em seus piores momentos recuariam para a calmaria de um escritório. Isso seria a morte para eles.

Não era, nem de longe, a vida que eles queriam levar. Tampouco Dylan, que tinha gastado seu precioso tempo ao longo de dois anos e muito dinheiro do governo para treiná-los, queria perder a melhor equipe que ele já havia montado.

Sam encerrou a ligação e anunciou:

— Dylan pediu que levássemos a segurança de Babi até amanhã conforme planejado. Ele chega à noite e fará as mudanças de planos necessárias.

Todos concordaram. E estavam prontos para mais um dia de trabalho da garota no bar.

Laura e Will estavam prontos para saírem com eles e Murilo bufou. Depois, olhou profundamente para a moça e provocou:

— Você não trabalha? Não faz nada da vida?

— Não é da sua conta.

— Uma desocupada.

Will riu alto. Laura olhou feio pra ele.

— Desculpe, amore, foi o jeito que ele falou. Ficou engraçadinho.

— Se vai tomar partido, Will, então é melhor me dizer, assim eu sei o que esperar e de quem.

— Noooossa, você está afetada, queridinha.

# CAPÍTULO 9

**"Tudo que é feito no presente afeta o futuro por consequência, e o passado por redenção."**

**Paulo Coelho**

Quando o bar abriu, para a surpresa dos funcionários e até do dono, logo lotou. Babi foi mandada para atender o balcão da área VIP e Murilo quase teve um sobressalto quando a viu trabalhando com uma minúscula saia rodada que deixava as pernas bem torneadas e bronzeadas totalmente de fora.

Ele foi incapaz de se conter. Pediu um Blue Label e, quando ela o colocou no balcão sem olhar para ele, Murilo a segurou pelo pulso.

— Se entendeu com sua Cinderela?

— Sim.

— Então ela não se importa de compartilhar?

— Ela não está compartilhando nada, Alan.

— Se você fosse honesta, terminaria com ela.

— Minha vida pessoal não te diz respeito.

— Está de cabelo solto por quê?

Ela o olhou irritada. Ele sabia exatamente por que ela estava trabalhando com os cabelos soltos. Queria apenas lembrá-la do que tinha acontecido no quarto e de que Laura tinha sido esquecida quando estavam se beijando, enquanto ele chupava seu pescoço pela manhã.

— Pensei que não devêssemos nos falar aqui.

Alguém fez um pedido e ela foi atender. Ele estava perdendo o controle. Tentando se recompor, o rapaz se afastou.

Um barman subiu para a ala VIP e Babi desceu. Murilo e os outros ficaram por perto. Ao invés de ir para o balcão, Babi se dirigiu para a pista de dança no mesmo momento em que as luzes focaram nela e a música *Never forget you*, da banda The Noisettes, começou a tocar, e um cara a puxou com muita intimidade, colando seus corpos enquanto encaixava as pernas entre as dela. Murilo se moveu na direção dela e sentiu alguém fechar a mão no punho dele.

Laura falou contra a vontade:

— Faz parte do show.

Ele ficou surpreso e deu sinal aos outros de que estava tudo ok. Começou a prestar atenção na dança deles e, Deus, o cara parecia o Patrick Swayze, no filme Dirty Dancing. Aquele era um cara que podia dançar. Ele levava Babi com leveza e sensualidade, olhando-a nos olhos enquanto a jogava para lá e para cá. Eles desciam até o chão com as pernas entrelaçadas.

Ela jogava a cabeça para trás e rodopiava com graça. A mão do dançarino estava abaixo da cintura dela e muitas vezes deslizou pelo traseiro da garota para levantar a perna, cuja saia nada cobria.

A galera foi à loucura quando, no iêiê da letra, os dançarinos desceram e subiram roçando um no outro; ela com as costas no peito dele, que deixava suas mãos passearem pelas coxas dela. Murilo estava louco e excitado só de olhar. Ramon se aproximou e Murilo jurou que iria ver a baba dele pingar em sua camisa se ele continuasse olhando a desenvoltura do casal que dançava maravilhosamente bem.

A conexão "olho no olho" nunca era quebrada. Em determinado momento, a canção diminuiu o ritmo e Babi passou as mãos pelo pescoço dele, que cantava para ela com um meio-sorriso na boca. Pareciam apaixonados e era possível perceber que era mesmo esse o objetivo: fazer com que o público ficasse hipnotizado e se sentisse incentivado a dançar, para ficar mais tempo no bar e consumir mais e mais bebidas.

Funcionava. Os agentes estavam todos embasbacados com a performance de Babi. Jason estava ao lado de Murilo e mal podia respirar quando falou:

— Isso é quente, cara. Nunca uma dança me deixou tão pronto pra transar com a primeira que passasse por mim igual a essa. Sua garota arrebenta.

Murilo apostava sua vida que não havia um cara dentro daquele ambiente que não estivesse duro como pedra.

Ele quis ajoelhar e agradecer quando a música acabou. O dançarino sorriu encantadoramente para Babi, que agradeceu a explosão de aplausos e gritos animados. O homem não tirava a maldita mão da cintura dela e Murilo quis arrancar os dedos dele. Ele olhou para Laura, que sorria e aplaudia. Ele nunca poderia reagir com tanta naturalidade se sua mulher estivesse dançando de uma maneira que excitava cada ser masculino dentro de um lugar. Nunca entenderia a relação delas.

A pista de dança lotou e Babi foi para a área dos funcionários. Murilo viu Giovanni ir atrás.

Lá dentro, Babi ouvia as recomendações do chefe sobre a festa privada na qual o cliente exigira que ela fosse sua bartender particular. Aconteceria na próxima quarta-feira e seria um evento muito importante.

— Ele pagou uma fortuna para eu fechar o bar pra ele, e o dobro do habitual para ter seu serviço exclusivo. Haverá um ajudante da equipe dele para te auxiliar.

— Mas quem faz essas festas sempre é o time todo. O Will é a sua estrela aqui.

— Eu sei, mas o cliente quer você, então, não vou discutir com ele. Esteja pronta e compre uma roupa nova para impressionar.

— Quem é ele?

— Um empresário milionário.

Ele estendeu o cheque para a despesa das roupas que ele queria que ela usasse. Quando Babi saiu do bar, Laura a esperava na porta. Ela passou o olho e viu o JX parado no meio do quarteirão.

— Ele não vai deixar você ir pra lá, você sabe.

— Maldito.

— A gente vai se falando.

Laura a puxou para um beijo. Ela estava provocando Murilo porque tinha certeza de que ele a estava observando. Seu abraço foi possessivo e, quando deixou Babi ir, Laura pegou um táxi. Will tinha arrumado um encontro dentro do bar e escapuliu mais cedo.

Babi caminhou alguns quarteirões antes de o carro parar para ela subir. Murilo mal olhou na cara dela. Estava bravo, e a garota sabia que era por causa da Laura, por isso deixou que ele curtisse o seu próprio mal-humor.

Ela tinha uma namorada e ia continuar com ela.

De todos ali, Ramon era o que mais gostava de vê-las juntas.

— Eu gosto dessa combinação, mas seria melhor se eu estivesse entre elas.

Os caras riram e Murilo resmungou.

— Você é um pervertido, Ramon, e se não guardar suas fantasias pra você, vai voltar andando para o apartamento.

Ele sorriu, mas não disse mais nada. Abriu a porta para Bárbara e seguiram para casa.

Já vestindo sua camiseta velha, com os pés descalços e os cabelos úmidos, Babi foi até a cozinha fazer seu café. Sentiu um cheiro do cigarro vindo da varanda: os rapazes estavam fumando lá fora. Parecia um hábito fumar em conjunto. Pensou que Mike e James pareciam não ser fumantes porque não compartilhavam o hábito.

Ela se apoiou no balcão enquanto bebericava o líquido quente e pensava no irmão. Será que ainda estava vivo? Um calafrio percorreu sua espinha e ela sacudiu o pensamento para longe. Não queria pensar no pior. James pediu para ela confiar e assim o faria.

Os homens, exceto Alan, entraram na cozinha atraídos pelo cheiro do café. Talvez ele estivesse evitando ficar próximo dela. Ela olhou o relógio, já eram duas da manhã. Estava cansada, então, deu boa noite aos homens e foi dormir.

Quando fechou a porta, ouviu o barulho do chuveiro ligado. Babi bufou indignada. Não era possível que ele estivesse pensando que ia dormir com ela. Não mesmo. Jamais. O apartamento tinha espaço suficiente para ele arrumar um lugar para ficar.

Ela estava soltando fogo pelas ventas quando ele saiu do chuveiro, e toda a convicção dela de colocá-lo para fora desapareceu. O homem era atrevido. Estava com a toalha enrolada na cintura, o corpo úmido e cheiroso. Os cabelos grudados na nuca.

Ele sorriu com má intenção e ela tentou recobrar sua indignação.

— O que acha que está fazendo?

— Vou dormir com você.

— Só nos seus sonhos.

— Isso eu já faço. Quero que seja real agora.

Ele veio na direção dela e a garota atravessou por cima da cama para ficar do outro lado do quarto.

— Que droga, Alan. Quando vai se convencer de que eu não gosto dessa situação?

— Onde está sua Cinderela?

— Foi pra casa. Você não ia deixá-la ficar aqui.

— Eu disse que ela não podia vir?

— Não, mas... eu sei que você iria criar caso.

— Usou isso para se afastar dela?

— Não usei nada. Apenas quis evitar uma situação desagradável.

— Mentira. Quis se livrar dela.

— Pense o que quiser, mas saia do meu quarto. Estou cansada e quero dormir.

Ele pulou pela cama, surpreendendo-a, e a puxou com firmeza, segurando-a pela cintura enquanto impulsionava seu corpo para frente e a prendia entre ele e a porta. Babi gritou por ter sido pega de surpresa.

Murilo não estava brincando quando disse que ia dormir com ela. Não iria forçá-la, mas a deixaria tão louca de vontade que ela ia pedir, ia implorar para que ele ficasse e fizesse amor com ela.

A boca do rapaz encontrou a dela e o beijo forte obrigou-a a abrir os lábios e a corresponder à exigência do homem. Ele a queria. Queria demais. Estava farto de vê-la nos braços daquela namorada dos infernos sabendo que não era isso que ela desejava. Suas mãos correram o corpo dela por baixo da blusa velha e folgada e um gemido sufocado saiu da boca de Babi quando ele acariciou seu seio macio, escorregando a mão pela lateral do corpo até a cintura, pousando em seguida em sua bunda, apertando-a e puxando-a para ele. A boca desceu para o pescoço, levando um bom tempo em beijá-lo antes de voltar a subir até a boca novamente. Ele a tirou da porta e a guiou até a cama, nunca deixando de tocá-la.

O corpo dele prendeu o dela e, olhando-a de cima, ele via seus olhos escurecidos pelo desejo. Não podia estar enganado. Não estava. Ela queria tanto quanto ele.

— Deus, neném. Me diz que sim. Não vou fazer nada que não queira. Tem que me dizer.

— Alan.

— Diz, Babi, diz que eu posso ir adiante, que me quer.

Ele puxou a perna dela para que ela o envolvesse, de modo que seu corpo grande ficasse perfeitamente encaixado no dela. Babi estava com a mente nublada pela vontade de ficar definitivamente com ele. Estava morta de vontade de ser dele. Sua boca respondeu antes que sua mente processasse.

— Sim. Eu quero.

Ele gemeu com a expectativa. Deus, ele sonhava com esse momento há meses, desde que passou a investigar a vida dela de perto. E agora ela estava bem ali, embaixo dele, ansiando por ele, gemendo e sussurrando o nome dele.

Murilo tirou a camiseta dela e desceu a calcinha devagar, saboreando a pele acetinada com beijos. Ele abriu as pernas dela e a beijou na sua feminilidade. A garota arqueou o corpo em delírio. Ele acariciou o clitóris com a língua enquanto seu dedo brincava com a abertura da vagina úmida e quente.

Babi se contorcia e gemia muito. Murilo sugou o botão secreto do prazer com força, chupando-o repetidas vezes antes de introduzir profundamente os dedos dentro dela, bombeando com habilidade.

Ele sentiu o sexo dela pulsar, avisando-o de que ela estava muito perto de gozar. Tinha que tomá-la. Tinha que tê-la só pra ele, e foi isso que ele fez. Aconchegou-se ao seu corpo, tirando a toalha que o cobria para apreciar o contato pele com pele. Agarrou a camisinha que estava em cima da cômoda, colocando-a com habilidade.

Babi fechou os olhos para sentir o momento exato em que seria dele. Sentia-o entrando nela. Fazia muito tempo desde que esteve assim com um homem e Alan era um pelo qual valia a pena quebrar qualquer promessa.

Ele começou a se movimentar sobre ela. Muito lentamente de início, porque queria sentir cada centímetro do corpo dela, depois mais rápido, e ele se perdeu em suas sensações. Babi saiu de si.

— Alan... tanto tempo. Tem muito tempo...

— Eu sei, neném. Estou aqui, sou seu. Sou todo seu e tomarei você pra mim a noite toda.

O vai e vem alucinante levou-os ao clímax perfeito em poucos minutos. Murilo grunhiu seu prazer como um leão enjaulado enquanto despejava toda a sua semente dentro dela. Era bom demais, era espetacular.

Ele relaxou em cima dela e sentiu as mãos delicadas da garota acariciarem suas costas. O homem ergueu o rosto para olhá-la. Babi ficava ainda mais linda com a expressão satisfeita e corada pelo esforço dos últimos minutos.

Nenhuma palavra foi dita. Ele a aconchegou em seu peito e a segurou com posse. Descansaram em silêncio por quase uma hora, e então recomeçaram.

Ele cumpriu a promessa de que a teria a noite inteira. Fizeram amor de todas as maneiras e formas. O homem era um touro resistente e muito carinhoso. Babi correspondeu a cada beijo, cada investida, cada entrelaçar de dedos. Ela se entregou por completo e pegou tudo que ele queria lhe dar. O sol já estava nascendo quando se renderam ao cansaço e adormeceram enrolados um no outro.

Murilo estava no céu. Ela era perfeita e era sua. Enquanto a tomava, ele sussurrava para si que ela era somente sua.

# CAPÍTULO 10

**"A persistência é o caminho do êxito."**

**Charles Chaplin**

Quando acordou, ela estava abraçada a ele, o braço sobre sua cintura e um véu negro de cabelos espalhando-se por seu tórax. Murilo deslizou o dedo sonolentamente sobre os fios e se lembrou de como ela tinha sido incrível.

*Se ela era gay, então ele era o Papa.* O rapaz sorriu com o pensamento. Ela era toda feminina e sensual e correspondeu a ele com desejo e interesse mútuo. Tinha feito com que ela gozasse quatro vezes naquela noite. Uma vez com a boca e as outras três com seu pau. Ela tinha sido absolutamente amorosa enquanto transavam. Era o que valia para ele. Já havia tido o suficiente com essa história de relacionamento gay. Laura estava fora do jogo de uma forma ou de outra, porque, se ela encostasse novamente um dedo que fosse em Babi, ele a colocaria no lugar dela.

E o lugar dela era longe da mulher dele. Porque definitivamente ela era dele e ponto final.

Murilo se levantou com cuidado e foi à cozinha, vestindo apenas uma calça de pijama. Ramon entrou, viu o colega preparando a bandeja de café da manhã e riu descaradamente.

— É como dizem: água mole em pedra dura tanto bate até que fura. Você conseguiu, não é? Dormiu com ela. Que grande filho da puta sortudo você é!

Murilo riu também. Os caras eram foda. Mesmo na sua agência era assim. Bastava um deles estar saindo com alguém e os outros já tiravam sarro e zoavam, mas, no fundo, aquela era uma maneira de apoiar e manter o sentimento de família que eles criavam.

Ramon continuou:

— A Cinderela vai surtar. Ela é possessiva, já percebi.

— Melhor que se conforme. Fim da linha pra ela. Babi é minha.

Sam entrou e ergueu as sobrancelhas, curioso, mas não tocou no assunto. Jason e Fritz vieram logo atrás.

— Dylan chega hoje à noite.

Fritz observou a bandeja.

— Café da manhã na cama? Sério? Peraí... você e ela? Cacete, e eu tenho que me contentar com a minha mão todo santo dia.

Todo mundo riu e Jason comentou, divertido:

— Melhor pedir reforço para o exército. A namorada dela vai ser um problema digno das tropas.

— Parem de se preocupar com a bruxa. Eu cuido dela.

Sam se surpreendeu.

— Bruxa? Pensei que ela fosse a Cinderela da história.

Mais risadas. Murilo pegou a bandeja. Queria passar o dia de folga dela dentro do quarto, aproveitando cada minuto. Entrou no cômodo e depositou-a no criado-mudo, sentando-se na beira da cama.

O telefone de Babi tocou e ele viu o nome da Laura aparecer. Ele pegou o aparelho e desligou. De jeito nenhum ia dar alguma brecha para ela falar com Babi. Murilo deitou ao lado dela e sustentou a cabeça com o cotovelo. Deslizou a mão pelas costas nuas até o bumbum, apalpando-o com delicadeza.

Ela se remexeu, sonolenta.

— Ei. Tenho café para você.

— Hum. Café é bom.

Babi abriu os olhos para encontrar os dele bem perto. Sentia a ponta de seus dedos acariciando sua pele e, no minuto seguinte, estava toda acesa pelo toque dele. Tinha que ser cuidadosa porque não podia se envolver, e ela sabia que seria muito fácil deixar um cara como Alan entrar no seu coração.

Sorriu para ele e tocou seu rosto com suavidade. Ele segurou sua mão e beijou os dedos.

— Tem ideia de como é linda quando acorda?

— Devo estar uma bagunça.

— Está sexy.

Ele beijou a cabeça dela e pegou a bandeja.

— Hum. Café da manhã na cama? É o mesmo cara que não me deixou tomar café dois dias atrás?

Ele riu.

— Dois dias atrás, você não tinha transado comigo.

Ela olhou para ele com uma expressão maliciosa.

— Sabe que temos um problema, não é?

— Não vejo dessa forma. Sou solteiro, livre e desimpedido, e você também.

Babi tomou o café, observando-o. Eles comeram juntos. Havia uma cumplicidade tão boa, tão gostosa, que ela até se esqueceu dos problemas com o irmão, com a namorada, da festa privada e de que estava em um apartamento com cinco caras que mal conhecia.

O rapaz colocava a torrada com geleia na boca dela e deixava que ela lambesse seus dedos lambuzados; em seguida, ele também saboreava o restinho do doce. Parecia que se conheciam há muito tempo. Desfrutaram do café da manhã e divertiram-se em compartilhá-lo. Havia uma sensualidade em ser alimentada por um homem lindo, sexy e másculo. Era o paraíso.

Depois do café, Murilo a encostou em seu peito e ficou mexendo com os cabelos dela distraidamente, pensando. De repente, perguntou:

— Por que decidiu ter uma relação com uma mulher?

Ela ficou um pouco nervosa. Tentou dar um ar casual à sua voz, mas Murilo sentiu que havia alguma coisa que não se encaixava.

— Quando as pessoas pensam em uma relação gay, elas só enxergam o lado sexual. E isso é o de menos.

— De menos? Transar nunca é o de menos.

— Não penso assim.

Ele estava prestando atenção. A moça continuou:

— Há muitas coisas mais importantes do que isso. Companheirismo, reciprocidade, consideração. Alguém que realmente lhe entenda porque tem a mesma cabeça, a mesma visão, as mesmas necessidades.

— E acha que não pode encontrar um cara que possa te entender assim?

— Sei que não.

Ele ficou tenso e sua voz já não era suave quando falou:

— Só fico pensando quem foi o filho da puta que te fez tão mal.

— Não tem nada a ver. Eu vi a relação de algumas pessoas e cheguei a essa conclusão por mim mesma. Coisas simples, como ir ao shopping, tomar um café na padaria, fazer compras, são entediantes para os homens e nós simplesmente não podemos tolerar os jogos de futebol nos fins de semana, ou a cerveja do maldito *happy hour* às sextas-feiras, as conversas sobre as bundas grandes das garotas ou do sexo quente que algumas vezes eles sequer chegaram perto, mas que inventam apenas para impressionar os amigos. Quando se tem uma relação com alguém do mesmo sexo, os interesses são parecidos, essas diferenças praticamente não existem.

— Eu acho que você não conheceu muitos caras decentes na sua vida, Babi. As diferenças são comuns e são boas na maioria dos casos. Não é parâmetro para se mudar de lado.

— Mudar de lado?

— Sim. Decidir ser gay só para poder ajustar alguns pontos de diferenças não é aceitável. Tem que ter algo além disso.

— Alan, você pensa assim porque tem preconceito, como milhares de pessoas por aí.

— Não. Respeito as escolhas das pessoas e isso não me incomoda em nada. O que não posso entender é por que insiste em ser algo que está na cara que não é. Ser gay porque é o que você sente, é a forma que te faz feliz e é o que te acende, então, tudo bem, mas para se esconder de algo que te assusta, isso não é certo. Você não é gay, neném, e não tente me convencer do contrário porque acabamos de fazer sexo quente e muito hétero agora mesmo.

— E afinal, por que estamos tendo essa conversa?

— Porque quero que deixe pra trás essa relação mentirosa que tem com a Laura.

— Estamos indo muito depressa, Alan.

— Apenas saiba que eu não sou do tipo que vai te dividir com ninguém.

Murilo se levantou e foi para o banheiro. Ela viu seu celular desligado. Ligou o aparelho e viu dezenas de chamadas perdidas de Laura e Will, e mensagens de ambos.

"Babi, esse idiota deixou recado na portaria para me impedir de subir. Me liga, estou por perto".

"Docinho, está tudo bem? Laura está preocupada."

"Babi, manda esse cara à merda e desce aqui agora. Preciso falar com você."

"Docinho, Laura está para me deixar louco. Ligue pra ela."

"Dormiu com ele, não foi?"

Ela suspirou. Laura a conhecia, e ela não ia mentir. Desde o início, a relação delas tinha sido aberta, sem promessas, sem cobranças. Mas foi se modificando nos últimos meses porque a namorada queria algo mais sério, mais permanente.

Babi deixou a coisa ir, não limitou as atitudes ou os encontros nem fez muita questão de impor limites às cobranças de Laura. Agora, ela tinha se colocado no papel de namorada e tirá-la dali não seria fácil.

Toda vez que precisou, Laura esteve lá. Era um apoio, um ombro amigo presente e dedicado. Não podia simplesmente chutar a bunda dela e substituí-la por alguém que tinha conhecido há pouco mais de uma semana.

Ela discou o número e esperou.

— Oi.

— Ei.

— Ele decidiu que você podia falar comigo agora?

— Não. O celular estava descarregado.

— Eu fui até aí, Babi. Ele me proibiu de entrar. Ele joga sujo, o desgraçado.

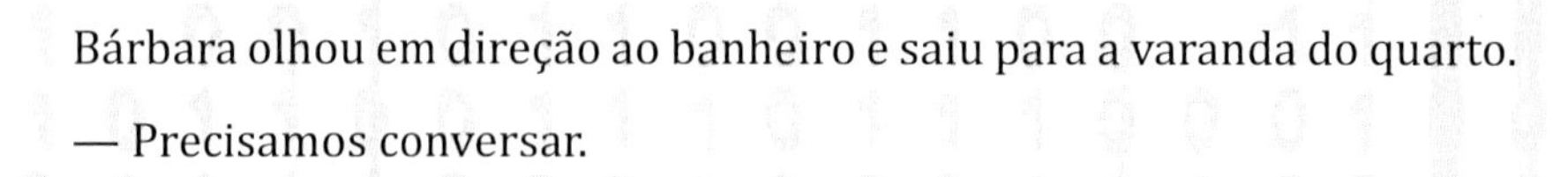

Bárbara olhou em direção ao banheiro e saiu para a varanda do quarto.

— Precisamos conversar.

— Dormiu com ele?

Silêncio.

— Sim. Desculpa.

Silêncio.

— Estou fora do jogo, não é?

— Estou um pouco perdida, Laura. Não sei bem como lidar com isso, com ele. Eu me deixei levar pela situação. Não vou negar que ele é sedutor e que me confunde, mas estar com um homem não é minha prioridade nesse momento, tampouco ter que me preocupar se vou te magoar ou ficar o tempo todo dando satisfação.

— Sei.

— Não fique brava comigo.

— Por que eu ficaria? Você nunca me prometeu nada além do que tínhamos. Só estou magoada.

— Tenho que comprar umas roupas novas. Por que não vamos juntas? Poderíamos falar pessoalmente.

— Ele vai estar junto?

— Provavelmente, mas damos um perdido nele. Não quero que terminemos por telefone e fique um clima de inimizade entre nós.

— Quando essa merda toda acaba, Babi? Quem é ele? O cara simplesmente chegou e tomou conta da sua vida. Isso é injusto. Tínhamos uma rotina, estávamos construindo uma relação e agora simplesmente ele pôs um ponto final.

Babi ergueu os olhos para ver Murilo observando-a de dentro do quarto com uma carranca.

— Tenho que ir. Vou ao West Plaza. Me encontra lá em uma hora.

— Tudo bem.

Ela desligou e entrou no quarto com cautela.

— Preciso ir ao meu apartamento pegar algumas roupas e depois tenho que comprar algo novo para o evento privado.

— Faremos isso amanhã.

— Hoje.

— Hoje não.

— Alan...

— Eu disse não. Ponto final. Com quem estava falando no telefone?

— Você sabe com quem.

Ele foi até ela e acariciou sua bochecha.

— Se não a colocar para fora da sua vida, eu o farei, Babi. Não vou ficar em cima do muro esperando você se decidir.

— Eu preciso me situar, eu... Alan, ela sempre esteve ao meu lado quando eu precisei.

— Diga obrigado e ponto final.

— Vou falar com ela hoje no shopping.

— Quem disse que vai ao shopping com ela?

— Eu vou.

— Não vai.

Ela suspirou, desanimada e consciente de que ele era difícil de lidar. Tentou ser educada, mas firme na sua decisão.

— Preciso comprar minha roupa e vamos nos encontrar lá. Eu devo uma explicação a ela, Alan. Não posso simplesmente ignorar que ela esteve na minha vida durante os últimos dois anos.

— Achei que estivessem juntas há um ano apenas, não mais.

— Nós conhecemos e ficamos amigas há dois anos, mas apenas no último é que resolvi... enfim, tentar um caminho novo.

Ele avaliou a situação, olhando-a profundamente. Aqueles olhos de tigre enjaulado eram intimidantes, ao mesmo tempo em que eram sedutores e faziam os joelhos dela tremerem.

— Você vai terminar tudo?

— Eu disse que vou me explicar com ela.

— Quero que ponha um ponto final nisso.

— Dorme comigo uma noite e já pensa que manda em mim?

Murilo passou as mãos pelo pescoço delicado dela e a segurou firme. Ele beijou os lábios de Babi suavemente e disse baixinho:

— Não brinque com fogo, neném, porque vai se queimar. Você está lidando com um homem aqui, não um moleque.

Ela bufou e tentou se desvencilhar dele, mas Murilo a segurou com mais força, estreitando os olhos ameaçadores. No instante seguinte, ele relaxou a pressão, acariciando o rosto dela com os polegares. Ele pareceu pensar um pouco e mudou o tema da conversa, passando o nariz pelo pescoço dela sensualmente.

— Gostou da sua noite?

A boca dele estava muito perto da dela. Tentador.

— Gostei.

Ele roçou os lábios sugestivamente, a voz morna.

— Um pouco?

— Muito.

Merda, ela já estava toda acesa, pronta para passar o resto da tarde na cama e se desligar do mundo. Em um minuto, deixou de estar brava e já parecia uma manteiga em seus braços.

— Muito?

— Sim.

— Do que mais você gostou? Diz pra mim, neném...

— Tudo... gostei de tudo...

— Gosta que eu te toque aqui?

A boca desceu até o seio dela e mordiscou de leve o bico pontudo por cima da camiseta.

— Ah, Deus, sim... sim.

Ele enfiou sua mão entre as pernas dela e esfregou a palma por toda a extensão da vagina, indo e voltando devagar. Babi gemeu alto e empurrou seu quadril para ele, sentindo sua calcinha ficar vergonhosamente úmida em segundos.

— Acho que a minha neném quer um pouco mais...

Ela se agarrou a ele e esticou o corpo pequeno, querendo beijá-lo.

— Você precisa pedir...

— Eu quero...

Babi acariciou o membro poderoso, tentando fazer Murilo perder o controle, mas ele tinha um objetivo em mente, por isso resistiu firme.

— Eu também quero. Gostei muito de ter você pra mim e quero mais.

Ele entrelaçou seus dedos e beijou um a um antes de olhar nos olhos dela com seriedade.

— Eu sou um bastardo muito ciumento, neném. Quando quero alguma coisa, eu quero por inteiro. Por isso resolva seu problema com a porra da sua ex-namorada antes que meu temperamento cause problemas a ela. Entendeu?

— Sim.

Ela estava inebriada pelas sensações que aquela boca na sua e as mãos por todas as partes do seu corpo causavam em sua libido. Ele se afastou e ela voltou a si. Viu-o sair do quarto. Pelo bem dela, e principalmente da Laura, elas teriam que se afastar no momento. Ele estava falando sério sobre causar problemas para a ex-namorada. *Deus, ex?* Definitivamente, ele tinha posto Laura para fora da vida dela, e Babi nem tinha se dado conta disso, simplesmente percebeu apenas quando a coisa já estava feita.

Murilo parou o JX no estacionamento do shopping. Ramon estava junto. O agente brasileiro estava de mau humor e contrariado.

— Por que Will não veio junto?

Babi não respondeu, apenas olhou-o impaciente. Quando quis sair do carro, o agente a segurou pelo braço.

— Estou por aqui. Não tente nada estúpido e não desligue o comunicador.

— Isso é uma merda, Alan. Odeio essa coisa toda. Preciso de um momento privado para resolver minha vida pessoal.

— Você o terá, comigo, hoje à noite.

Ramon riu alto e ela olhou de cara feia para ele. Murilo não se intimidou, estava bravo e queria mostrar para Laura a quem Babi pertencia agora.

A impossibilidade de fazer qualquer coisa o deixava ranzinza.

— Não demore com essas compras. Tenho coisas importantes pra fazer. E nem pense em adiar o inevitável.

Ela desceu do carro bufando. Ramon olhou para ele.

— Cara, você tá perdido na dela. Espero que não seja contagioso. Deus me livre ficar assim um dia.

Os homens desceram e a seguiram discretamente. Laura a esperava em uma livraria. A moça a abraçou forte demais para o gosto de Murilo e lançou um olhar de ódio para ele, que, mesmo à distância, não tinha como não ver.

— Se eu fosse um maricas, teria me borrado nas calças agora. Campeão, ela quer dar suas bolas de refeição para um leão comer — disse Ramon.

— Ela que se foda.

As garotas entraram incansavelmente em diversas lojas, experimentaram peças, fizeram graça, conversaram com as vendedoras, riram e discutiram gostos, tamanhos e cores. Laura estava sempre tocando Babi nos cabelos, na cintura, nos dedos, nos ombros. Toques sutis e aparentemente inocentes, mas que demonstravam a intimidade que elas um dia compartilharam.

O agente estava impaciente e irritado, mas não queria apressá-la. Seria o suficiente para ela comprovar o que tinha dito de manhã sobre a cumplicidade entre mulheres que não existia com os homens. Murilo não era fã de fazer compras, mas pensou que podia aguentar se fosse algo muito importante para Babi. Ele podia lidar com as merdas das diferenças que ela não queria encarar e ia provar isso a ela.

— Cara, elas estão tranquilas, vamos tomar um café. Você está tenso, parece que vai cometer um assassinato a qualquer momento.

Murilo concordou. Estava mais do que tenso, estava com ciúmes em um nível elevado, e não sabia bem como lidar com isso. As suas relações anteriores não tinham sido muito produtivas. Ele se cansava logo e a coisa não ia longe. Três meses tinha sido seu recorde e isso porque a mulher era um vulcão na cama e muito persistente.

Nunca tinha se sentido como agora. Estava caminhando para se apaixonar por Babi. Talvez essa fosse a situação. Ela era frágil e ao mesmo tempo forte. Decidida e teimosa. Deliciosamente inocente, mas não simplória. Ele sempre ficou com mulheres tipo *femme fatale*, com seios grandes e feitas para seduzir. Nenhuma delas jamais dormiria com uma camiseta grande e velha, mas nunca teriam sido tão encantadoras e sensuais quanto Babi quando acordava, tão perfeitamente linda e natural.

— Finalmente achei você, gaúcho gostoso.

A voz escandalosa de Will ecoou por todo o ambiente. Ramon revirou os olhos e Murilo arregalou os seus. Ele olhou ao redor e reparou que alguns homens os encaravam desconfiados.

— Me chame de gaúcho gostoso mais uma vez e eu quebro sua cara em quatro partes.

— Calma, nossa... quanta testosterona.

— Babi e Laura estão por aí. Encontre-as e finja que nem me viu.

Will puxou a cadeira e se sentou.

— Não é com elas que eu preciso falar.

— Como sabia que estávamos aqui?

— Eu liguei e a Babi me disse. Sabia que esse é o shopping favorito dela?

— Percebi. Agora, o que quer comigo?

— Escuta, Alan. Não sei o que está pegando, mas tinha uma galera muito estranha lá no Lótus hoje. Achei que você devia saber. Não sou idiota, sei que está acontecendo algo que envolve meu docinho, e que, se você fosse do mal, não se importaria com ela como se importa.

Ramon se ajeitou na cadeira para ouvir melhor e Murilo cruzou os braços sobre a mesa.

— Galera estranha? Me fala o que sabe.

— Olha, eu tive um encontro maaaaaaaara no domingo e acabei indo embora um pouco mais cedo, só que esqueci a mochila com minhas coisas lá. Voltei hoje para pegar e entrei pela porta dos fundos do escritório do Giovanni porque a dos funcionários estava trancada. Ninguém me viu entrar. Tinha uns homens mexendo nas câmeras e outros falando com o chefe.

— Você ouviu a conversa?

— Um pouco. A segurança do bar vai ser trocada por homens do empresário na festa privada. As imagens serão bloqueadas e as entradas e saídas, monitoradas por homens armados. Isso está parecendo muito mais uma preparação para a guerra do que uma festa privada.

Ramon pegou o telefone e ligou para Sam.

— Cheque as câmeras wi-fi do bar e veja se estão transmitindo as imagens ainda.

Depois de alguns minutos, recebeu a resposta:

— Sem sinal.

— As câmeras foram bloqueadas, Mike. Você precisa tentar desbloqueá-las ou pegar as imagens do circuito interno antigo.

— Vou tentar.

Murilo estava preocupado, esse evento era uma cilada para Babi.

— Quantas entradas tem o bar?

— A entrada principal, a saída de emergência, a entrada dos funcionários e um corredor para o acesso exclusivo do Giovanni ao seu escritório. Alan, ela está em perigo, não é?

Murilo olhou para o amigo da garota. Ele podia ser uma gazela escandalosa, mas era fiel à amizade que tinha por Babi. Estava confiando neles mesmo sem ter ideia de quem eram.

— Nós vamos protegê-la.

Will se levantou e saiu. Ramon foi enfático quando falou:

— Eles estão armando para pegá-la nesse evento.

— Só por cima do meu cadáver.

— Do nosso. Acha que Julián está pessoalmente envolvido?

— Não creio que ele se arriscaria tanto, mas é alguém a mando dele. Ele a quer, sente segurança no trabalho dela e agora sabe que a perdeu. De uma forma ou de outra, ele sabe.

— Espero que seja apenas isso.

— O que quer dizer, Ramon?

— Sua menina é bonita, inteligente e com uma habilidade rara que é útil para os negócios dele. Você nunca se perguntou por que ele não a manteve em cativeiro ao invés do irmão?

— O que você está dizendo?

— Acho que ela estava em período probatório e passou no teste. Ele vai levá-la para uso pessoal, campeão. Seja qual for o motivo que o manteve distante até agora, ele decidiu que é tempo de mudar as regras do jogo.

— Certo. Vamos levá-la para casa e falar com os outros.

Laura e Babi tinham terminado de comer e se olhavam. A garota havia desligado seu comunicador discretamente. Já bastava estar sendo vigiada, ninguém precisava ouvir a conversa delas.

— O que foi? — perguntou a namorada.

— Ele quer que você se afaste.

— E o que você quer?

— Gosto de você, Laura. Você é uma boa amiga, uma companheira para toda hora, mas eu tenho essa situação do Ti. Ele vai estar nisso até que tudo se resolva, ou que eles consigam o que querem.

— E o que eles querem?

— Não sei. Eles não falam.

— Esses caras são mais perigosos do que você imagina, Babi.

— Eu sei.

— Mas temos duas situações diferentes aqui. O Alan pode estar nesse lance misterioso que envolve o Ti, entretanto a coisa dele com você é pessoal. Ele encontrou espaço para entrar na sua vida, na sua cama.

— Tem razão. A coisa toda é muito nova pra mim também. Não sei como resolver, só sei que não posso tê-lo fazendo um inferninho comigo por sua causa.

— Não pode? O que está acontecendo é que você não consegue resistir a ele...

— Não vou dizer que você está errada, mas ainda assim... não consigo lidar com isso no momento.

— Isso é um pedido sutil para eu me afastar?

— Não é definitivo, Laura. Só até as coisas se acertarem.

— Entendo. Perdi a namorada e a amiga de uma só vez.

— Sempre seremos amigas.

— Está enganada. Se quisesse realmente me manter, você teria se imposto. Teria exigido que eu pudesse estar ao seu lado porque é um direito seu preservar suas relações e suas amizades, mesmo com tudo que está acontecendo.

— Não é tão simples.

— É muito simples, você deixou ele me dar um chute na bunda porque era o que queria e não tinha coragem de fazer. Me usou como um experimento para saciar sua curiosidade. Você é uma farsa, Babi.

Laura se levantou e saiu sem olhar para trás. Babi se sentiu muito, muito mal, mas a deixou ir. Ficou uns minutos tentando se reestabelecer e depois ligou para Murilo para dizer que estava pronta para partir.

— Eu sei. Estou bem na sua frente, neném.

É, ele estava. Encostado em um pilar do outro lado da praça de alimentação, a observava com uma expressão satisfeita, com um meio-sorriso que o deixava escandalosamente sexy. Deus, tudo nele mexia com ela. Babi estava preocupada. Tinha dado um passo muito sério em sua vida. Um que um dia tinha destruído seus sentimentos e sua fé nas pessoas, nos homens. Só esperava que dessa vez estivesse apostando na pessoa certa.

# CAPÍTULO 11

**"Lamentar uma dor passada, no presente, é criar outra dor e sofrer novamente."**

**William Shakespeare**

Babi chegou ao apartamento e foi direto para o quarto. Os homens estavam debruçados sobre um mapa interno do bar e dos arredores, imagens impressas e imagens nos monitores. Mike falava ao celular e os outros planejavam alguma coisa.

Babi sabia que era algo envolvendo o evento particular da quarta-feira. Estava cansada disso. Pensou no irmão, em como ele deveria estar e se algo teria acontecido a ele a essa altura. Se estivesse em casa, teria pegado seus álbuns de fotografias para matar um pouco a saudade. Fazia isso quando achava que ia enlouquecer de preocupação, mas agora estava em um apartamento luxuoso que não tinha nenhum dos seus pertences, a não ser as trocas de roupas que tinha ido buscar e outras que comprou no shopping.

Ela estava deitada na cama, pensando, quando Murilo entrou. Ele se deitou ao lado dela, cruzou os braços atrás da cabeça e não a olhou.

— Como foi com a Laura?

— Tudo certo.

— Certo como?

— Você sabe como.

— Vocês terminaram?

— Terminamos.

— Você está triste?

— Estou.

Ele a olhou.

— Não parece triste.

— Deus, Alan, o que quer de mim?

Ele não respondeu. Apenas tocou o lábio inferior dela com o polegar.

— Nosso chefe chega em poucas horas. Não quero que saia do quarto até que eu diga que pode sair.

— Preciso de permissão para sair dessa porcaria de quarto?

— Para essa situação, sim.

— Por quê?

— Porque sim.

Babi ficou indignada com as respostas curtas e sem nenhuma explicação.

— Você tem ideia do que eu fiz hoje?

Ela se sentou e ele sentiu a tensão no ar.

— Eu magoei uma pessoa que era importante pra mim. Terminei uma relação com alguém que sempre esteve ao meu lado quando eu precisei. Fiz isso por você, e tudo que pode me responder é "porque sim"?

— É tudo que eu posso responder por hora.

Ela ficou olhando para ele, inconformada. Queria gritar, xingar, mandá-lo embora e sumir do mundo por pelo menos dez minutos, mas tudo que fez foi pedir educadamente que ele saísse.

— Posso ficar um pouco sozinha?

— Pra quê? Vai curtir o amargor da separação?

Murilo estava possesso em pensar que ela estaria mal por causa do rompimento com Laura. Não a queria se lamentando pela decisão tomada, queria que ela pensasse apenas nele, como seu presente e parte do seu futuro, acontecesse o que tivesse que acontecer.

— Acho que ainda tenho o direito de manter apenas para mim a maneira que me sinto sobre algumas coisas.

Ele concordou e saiu. Não esperava que o término da relação a deixasse triste. Não queria que ela se arrependesse por tê-lo feito, mas não podia exigir nada. Ele sequer podia lhe dizer quem era e o que estava fazendo ali.

Dylan chegou ao apartamento com Lorena. Ele olhou ao redor rapidamente, avaliando o local, e Sam o colocou a par dos últimos acontecimentos.

— O pessoal da agência e do FBI não têm notícias do agente infiltrado no cartel há mais de duas semanas, o que não procede com o combinado. Em outras palavras, é quase certo que o facilitador soube da presença de vocês junto à decodificadora e repassou a informação ao traficante. Não podemos arriscar a identidade da agência. Tenho uma reunião amanhã com o comandante da segurança nacional e vamos pontuar as considerações sobre invadir o cartel.

Os agentes ficaram eufóricos com a notícia.

— Então o procedimento inicial sobre a rota está cancelado?

— Suspenso, na verdade. Julián pode ter sido avisado sobre nossa interferência e vai agir rápido quando perceber que não seguimos as informações sobre a falsa mensagem. Ele saberá que não compramos o peixe e não vai esperar ser surpreendido.

Todos concordaram. Invadir o cartel significava chances de resgatar Tiago. Murilo precisava colocar isso em pauta, mas não teve chance de falar.

— Onde está a decodificadora? — perguntou o comandante.

— Em um dos quartos.

— Estão usando a paralela 2, presumo.

— Sim. Entretanto, achamos que a decodificadora precisa saber mais sobre nós.

— Ela não é confiável ainda.

— Ela não vai confiar nunca porque está no escuro com um monte de caras que nunca viu na vida. Foi exatamente por isso que ela não nos avisou a tempo sobre o contato, não sabia em quem confiar.

Dylan observou Murilo. Havia algo diferente, algo que o comandante podia ver, mas ainda não sabia exatamente o que era.

— Permanecemos com a paralela 2 e falaremos para ela que somos de um cartel concorrente. Algo como uma luta de poderes pelo abastecimento de drogas nos Estados Unidos. Porém, vale pontuar que o trabalho dela não nos interessa porque vamos trabalhar com outros facilitadores e outros fornecedores. Diremos que vamos considerar a negociação da liberdade do irmão se ela continuar a colaborar e que, depois de terminado, ela segue a vida dela e nós, a nossa. Isso é tudo.

Murilo estreitou os olhos para o comandante.

— Está realmente considerando resgatar Tiago ou é apenas uma maneira de conseguir que ela continue sem causar problemas?

— Nosso trabalho aqui, desde o início, é chegar até o facilitador norte-americano e depois a Julián. Há prioridades nessa missão que não incluem resgate de prisioneiros. A coisa toda pode caminhar por essa trilha e, por sorte, retiramos algumas pessoas de lá, se for decidido na reunião de amanhã que vamos chegar até o cartel. Não nego que essa possibilidade seria útil para colhermos informações internas sobre o trabalho executado lá, mas repito: não é nossa prioridade.

Os agentes se entreolharam. Estavam há semanas convivendo com Babi, viram o desespero dela pelo irmão, presenciaram a ligação dela e a maneira como foi pressionada por eles a colaborar. Usá-la como isca agora era muito mais difícil porque, mesmo em tão pouco tempo, eles tinham se afeiçoado a ela, em especial Murilo. Os agentes olharam cúmplices para ele.

— Dylan, a festa privada que vai acontecer é uma armadilha para Julián chegar a ela. Esta garota está em perigo.

— Estou a par dos detalhes. Vamos estar lá. Ele não vai levá-la facilmente.

Dylan olhou novamente para o agente Marconi.

— Estamos bastante pessoais nessa questão, ao que me parece.

Os agentes ficaram em silêncio. O comandante entendeu. Maldição, o agente brasileiro estava sentimentalmente envolvido com a garota. Isso era uma merda. Ia precisar reavaliar os pontos da missão porque, quando o coração falava no lugar da razão, a tendência era que as coisas se complicassem. Ele não precisava perguntar para saber, mas o fez mesmo assim. Era necessário trabalhar com uma equipe limpa e honesta.

— Eu deveria saber de alguma coisa em especial, Alan?

Murilo soube que o comandante usou seu nome falso para lembrá-lo de que havia uma missão em curso e que nada deveria desviá-lo. A pergunta do chefe era apenas para averiguar. Como o bom líder que era, já havia percebido que Babi estava em um grau de importância para ele além do que deveria.

— Acho que, na verdade, o senhor já sabe, comandante.

— Preciso me preocupar com isso?

— Se a segurança dela for trabalhada adequadamente, então não, senhor.

*Merda*. Uma mulher bonita podia ser a perdição de um comando inteiro. O agente brasileiro estava indo muito bem na missão. Mesmo com Julián possivelmente tendo sido informado sobre eles, Murilo conduziu o grupo de maneira muito eficaz e não deixou a identidade deles se perder. Teria sido fácil para o colombiano tê-los pegado se o agente tivesse sido relapso. Mas não, ele perdeu o contato, porém manteve o curso da operação, removeu a equipe para um lugar seguro, manteve a garota sob seu comando e foi duro quando precisou. As poucas coisas que ela tinha tentado fazer ele tinha sido rápido em interceptar, e as duas pessoas que frequentavam a casa dela tinham dossiês encomendados junto à equipe de investigação do comitê de segurança nacional e estavam sendo vigiadas de perto. O ambiente de trabalho dela estava altamente monitorado e o grupo trabalhava em harmonia. O cara era bom.

Ele era muito eficiente e Dylan pensava na possibilidade de mantê-lo permanente em sua equipe. Precisava pensar rápido. Se Babi era prisioneira das vontades de Julián apenas para preservar o irmão, então resgatá-lo solucionava a situação. Libertaria a garota, o menino e ainda manteria o agente satisfeito dentro da sua equipe. Se a usasse como isca e deixasse o refém por conta de outra operação, aumentaria o risco de ele morrer, se é que ainda estivesse vivo na ocasião. A garota não escaparia do traficante e ele perderia um agente de última geração, pois era certo que Murilo retaliaria se isso acontecesse.

— Quero falar com a garota.

Murilo consentiu e foi buscá-la. Ela ergueu os olhos para ele quando entrou.

— O chefe quer falar com você.

— O que ele quer?

— Vem.

Era sempre assim. Ele nunca respondia o que não queria responder. Agora ela tinha que fazer tudo conforme mandado e responder tudo que lhe perguntassem senão ficava sem celular, sem café, sem ver seus amigos. Os malditos pensavam que ela era uma criança. Se dançasse fora do compasso, ficava de castigo.

Ela o acompanhou até a sala e olhou para o comandante e para a ruiva alta que estava junto dele sorrindo amigavelmente. Era fácil para Dylan ver por que o agente estava apaixonado. Babi parecia uma boneca. Linda. Os cabelos pretos iam até a cintura e tinham um balanço suave e encantador conforme andava. De estatura mediana, magra, mas com curvas sedutoras pelo corpo feminino, tinha olhos quase inocentes. Uma beleza pura e natural que podia balançar o coração e endurecer o membro de um homem com facilidade.

— Venha comigo, Srta. Savi.

Ele seguiu para a cozinha com Lorena, e Babi foi atrás. Antes, porém, ela olhou para Murilo, receosa. Ele queria ir junto, queria protegê-la do raciocínio lógico e impessoal de Dylan, mas não podia ir.

Dylan se sentou e fez sinal para que ela fizesse o mesmo.

— Sei que é viciada em café. Talvez Lorena possa nos fazer um fresco enquanto conversamos.

— Claro.

O comandante olhou para ela, pensativo. Ela era uma moça valente, que enfrentava uma situação caótica e sem saída há um ano e nunca vacilou. Nunca pisara fora da linha para não prejudicar o irmão. A garota não tinha família e ainda assim conduzira sua vida fora da criminalidade e da violência das ruas, possuía um emprego estável e uma vida aparentemente limpa, segundo os dossiês.

— O que pensa que somos, Srta. Savi? Por que acha que estamos aqui?

— Acho que são uns malditos infelizes que só me causaram problemas com Julián.

— É isso que pensa?

— Sim.

— Pois bem. Digo que acertou, salvo pela palavra "infelizes". Isso nós não somos. Somos de uma organização que quer tirar Julián da rota americana porque achamos que ela é muito lucrativa e estamos dispostos a qualquer coisa para conseguirmos. Nosso palpite é que o evento de amanhã foi programado para levar você ao colombiano. Ele sabe que a senhorita está conosco e vai agir para limpar a situação, até porque ninguém decodificou ainda a mensagem verdadeira e ele tem pressa. Vamos tomar providências nessa madrugada para preparar o ambiente da festa de maneira que possamos assegurar sua integridade física. Precisamos dos seus conhecimentos com a mensagem original quando ela vier. Você usará um microfone que vai nos permitir ouvir toda a sua conversa. Não reaja a nada. Não tente avisá-los de nada. Não se preocupe com nenhum movimento porque, qualquer coisa que possa acontecer, estaremos lá para ajudá-la a escapar.

Lorena colocou o bule e as xícaras de café em frente a cada um deles.

— Alguma pergunta?

— Nenhuma.

— É muito resignada, senhorita Savi.

— Tenho outra opção?

— Não, não tem. Mas pensei que fosse questionar como ficará a situação do seu irmão nisso tudo.

— E você se importa se ele está vivo ou morto? Tudo que você e sua maldita organização querem é que eu decodifique a mensagem para que você alcance a rota do tráfico antes de Julián. O que ele vai fazer com o meu irmão por causa disso não é problema seu, não é?

— Não posso dizer que você não tem razão, mas posso ser mais complacente que Julián. Posso pensar na possibilidade de resgatar ou negociar a liberdade do seu irmão, uma vez que ele viu e ouviu coisas que possam ser importantes para minha organização.

— E qual seria o preço disso? Mantê-lo aprisionado aos seus interesses como Julián faz comigo até que você sugue tudo que lhe convém e depois, quando já tiver obtido o suficiente, coloque uma bala na cabeça dele?

— Pense um pouco, senhorita Savi. Se ele ainda estiver vivo, pode morrer nos próximos dias, assim que Julián souber que você está servindo a uma organização concorrente, ou podemos trabalhar na opção do resgate e dar a ele uma oportunidade de colaborar. Eu posso mudar de ideia quanto ao desfecho da bala na cabeça. Nunca se sabe como vai estar o meu humor, não é? Entre uns dias e uns meses, eu ficaria com a segunda opção.

— Por que está me dizendo isso?

— Porque sei que colaborou com a fuga do contato do facilitador dias atrás e fodeu com a possibilidade de o pegarmos. Se isso acontecer de novo, eu mesmo coloco a bala na cabeça do seu irmão, e não queremos isso, não é, senhorita Savi?

— Sr. Dylan... é esse seu nome, não é? Bom, com todo o respeito que eu vejo que seus homens lhe têm, eu devo dizer: vá se foder.

Babi tomou seu café de uma só vez e se levantou para sair. Ele não a acompanhou. Lorena também permaneceu onde estava, divertidamente espantada. Nunca tinha presenciado alguém mandar o comandante se foder. Isso foi muito, muito inusitado. Ela olhou para Dylan, que estava com uma expressão pasma, a boca aberta e o rosto afogueado.

Babi passou pelos homens na sala, muito brava. Ela resmungava palavrões baixos e não se deteve sequer para olhá-los. Murilo foi até a cozinha e encontrou Dylan se recompondo do assombro de ter sido insultado por uma garota de um metro e sessenta e cinco de altura e não mais do que cinquenta quilos.

Ele, um comandante oficial, um líder da maior e mais respeitada agência de negócios secretos não-governamentais dos Estados Unidos, acostumado a lidar com homens durões e de pouca educação, nunca antes tinha sido mandado se foder. Nunca, em nenhuma hipótese, seus homens se atreveriam a isso porque eles tinham uma vida a preservar.

Lorena tinha um ar risonho e olhou para eles, advertindo-os sobre algo. Provavelmente era um conselho mudo para não perguntarem o que tinha acontecido, mas Ramon não resistiu.

— O que aconteceu, Dylan? Babi parecia um pouco alterada.

— Aquela fedelha dos infernos mandou que eu me fodesse.

Dylan estava gritando, muito alterado. Os agentes primeiro arregalaram os olhos, perplexos, depois caíram em uma gargalhada uníssona que não puderam evitar.

— Não acredito, ela mandou você se foder, com todas as letras?

Lorena se aproximou, também parecendo se divertir.

— Em alto e bom som.

O comandante soltava faíscas pelos olhos e estava muito bravo com a reação dos homens. Era nítido que tinham afeição pela decodificadora. Fritz bateu no ombro dele.

— Relaxa, chefe, isso não foi nada. Ela me disse coisa pior, bem pior, pode acreditar.

Dylan olhou para ele, espantado.

— O que foi que ela te disse?

— Algo sobre ter um pau na bunda.

— Deixou que uma pirralha te dissesse isso e não reagiu?

— Você deixou que ela te mandasse se foder e também não reagiu.

Sam se manifestou:

— São aqueles malditos olhos. Ela tem olhos de anjo, quase inocentes. Você nunca espera que ela vá abrir a boca e te arrasar da forma que ela faz, e, então, fica tão estupefato que nem reage.

Murilo observava os caras falarem de Babi. Eles tinham carinho por ela, mas tinha sido muito ruim ela ter dado esse tratamento a Dylan. O chefe não facilitaria para ela em nada. Um comandante do quilate dele não era tratado dessa forma por quem quer que fosse sem que houvesse consequências. Haveria retaliação da parte de Dylan e isso não ia ser nada bom para Babi.

Dylan olhou para ele e vociferou:

— Peça que ela se desculpe. Diga que vou ser seu pior pesadelo se ela não se retratar comigo imediatamente.

— A questão, Dylan, é o que você disse a ela para deixá-la tão alterada. Talvez não seja o momento para se criar caso.

— Providencie que ela se desculpe, agente, ou eu vou me certificar de que ela seja entregue a Julián com um laço vermelho e embrulhada pra presente.

Murilo sentiu o sangue ferver.

— Desculpe, Dylan, mas estamos falando aqui de uma garota de vinte e três anos que perdeu o irmão para um traficante; foi mantida em cativeiro sem roupa dentro de uma sala gelada, sem comida e sem água, e sem o café que tanto ama; foi induzida a colaborar com um monte de caras que ela não tem ideia de quem são; foi ameaçada e levada ao limite da sua paciência. Ela perdeu a liberdade, o único membro familiar que tinha e viu sua vida se tornar um inferno do dia pra noite. Mandar você se foder é uma partícula pequena perto do que ela tem vivido e, sinceramente, ela só fez o que muitos de nós já fizemos em pensamento porque não tivemos coragem de falar em voz alta.

Os caras intimamente concordaram com Murilo, mas sabiam que a situação de Babi com o chefe tinha ficado ruim. Dylan se aproximou.

— Agente Marconi, ninguém manda eu me foder em voz alta pra não levar um tiro na cara ou um chute nas bolas. Não me interessa a porra da história de vida dela. Ou ela se retrata ou teremos severas alterações no andamento dessa missão.

Era uma ordem definitiva e Murilo sabia disso. Ele saiu da cozinha decidido a fazer com que Babi se desculpasse com o comandante nem que tivesse que virá-la do avesso. Uma boca grande, suja e desgovernada era o que ela tinha. Ele respirou fundo e entrou no quarto.

Ela estava chorando e toda a convicção dele caiu por terra. Seus olhos estavam inchados, e o rosto, úmido das lágrimas.

Ele se aproximou com o coração partido em vê-la daquela forma. O agente a abraçou forte, beijou sua cabeça e ninou-a em seus braços enquanto ela soluçava toda a sua frustração encostada confortavelmente no peito dele. Esperou até ela estar mais tranquila e falou:

— Ei, mandou o chefe se foder, neném? Isso vai dificultar sua vida, e muito.

— Ele mereceu.

— Ele é o chefe, Babi. Tem poder para deixar as coisas muito ruins pra você.

— Piores do que já estão?

— Infelizmente sim.

Ele segurou o rosto dela. As pálpebras úmidas deixavam os lindos olhos ainda mais frágeis. Os lábios tremendo e a expressão tão perdida fizeram o coração dele dar um salto no peito. *Que droga, estava muito apaixonado por ela*. Queria tirá-la dali, entregar seu irmão de volta e ter uma vida normal com ela. Como ia resolver tudo isso agora?

Murilo suspirou, tomando coragem para pedir o que sabia que seria uma tarefa difícil para ela.

— Não sei o que ele disse para você agir assim, mas você tem que se desculpar.

Babi olhou para ele, espantada, depois seu rosto se contorceu em dor. Era tão fácil para ela se esquecer de que ele era parte daquele grupo, de que, por mais que estivessem envolvidos e ele parecesse gostar dela, o maldito estava desenvolvendo um trabalho ali. Ela não era sua prioridade. Sua voz saiu baixa, mas determinada:

— Jamais.

Ela se desvencilhou das mãos dele.

— Ele me ameaçou, ameaçou dar um tiro no meu irmão. — A voz dela falhou. — E... nem sei se Tiago ainda está vivo.

Murilo tentou abraçá-la novamente, mas ela deu um passo para trás.

— Já não tive o suficiente disso, Alan?

— Escuta, Babi, não estou dizendo que você não teve seus motivos, mas o que fez não te ajuda em nada.

— Estou cansada. Estou muito cansada disso tudo. Eu virei um pau mandado de marginal e todo mundo atira ordens e ameaças na minha cara, e, quando eu reajo, preciso me redimir e me desculpar? Ninguém pediu desculpas por invadir minha vida. Estava tudo sob controle até vocês chegarem.

— O que Dylan te falou?

— Ele me disse quem vocês são e o que querem. Diga-me, Alan, é verdade o que ele falou? Que vocês são concorrentes de Julián? Porque, se isso é verdade, então... você... é um bandido.

Murilo não sabia o que dizer e sentiu uma vontade gigante de matar o comandante, por não tê-lo autorizado a dizer a verdade. O que poderia dizer a ela?

— Acha que sou um bandido?

— Se você não é, então seu chefe mentiu, e eu fico pensando o que ou quem é você de verdade.

O agente estava entre a cruz e a espada. Não podia arriscar a missão e falar a verdade, especialmente antes de uma festa privada na qual sabiam que Julián ia fazer alguma coisa contra ela. Se a pegasse e a interrogasse, ela diria a verdade para salvar o irmão, e a verdade acabaria com a identidade secreta da agência. Mentir faria com que ela perdesse a fé nele, e a frágil relação que estavam construindo ficaria em ruínas.

Diante do silêncio dele, ela continuou. Sua voz era doce e baixa, indicando a fragilidade que ela tentava esconder, mas que estava, em seu interior, mais evidente do que nunca.

— Seu nome é mesmo Alan, não é?

— Sim.

— Mocinho ou bandido, eu não vou descobrir que dormi com alguém que eu sequer sabia o nome, vou? Porque isso realmente iria...

Murilo a interrompeu.

— Amor... pare de se preocupar com isso, vamos nos concentrar no que temos aqui, e o que temos é um chefe raivoso porque foi insultado e uma festa privada que ameaça sua segurança. Você precisa se retratar para que possamos ter o aval de Dylan para te protegermos na festa.

Babi piscou várias vezes. Ele realmente a tinha chamado de "amor". Não parecia que ele tivesse se dado conta do que havia mencionado, mas para ela foi gostoso ouvir. Parecia natural ser o amor dele, porque sem dúvida alguma ele tinha se instalado em seu coração de uma forma muito rápida. Ele também era o amor dela.

Um amor singelo que estava tomando uma proporção absurda em toda sua mente, seus sentimentos, suas emoções.

Murilo viu a expressão dela se modificar.

— O que foi?

— Você... me chamou de "amor".

*Ah, isso*. Ele sorriu um pouco sem jeito, depois a trouxe para si e a abraçou.

— Amor, neném... gosta que eu te chame assim?

Ela concordou com a cabeça. Ele a beijou, suavemente a princípio, depois o beijo foi ficando mais e mais profundo, quente, excitante. Murilo gemeu baixinho na boca dela e esfregou sua excitação para ela sentir como um simples beijo o fazia se sentir.

Sua língua atrevida convidava, incitava e a deixava tonta. Ele era perito na arte de beijar. Babi se agarrou a ele e deixou sua mão se deliciar por aquele corpo tão masculino, tão perfeito, tão incrivelmente delicioso.

Babi ergueu a camiseta dele tentando tirá-la, mas ele a impediu.

— Não há tempo agora...

— Eu quero você.

Ela beijou o pescoço dele com delicadeza e o homem fechou os olhos para sentir a maciez daqueles lábios que ele já considerava totalmente seus.

— Deus, Babi... você me deixa insano assim. Temos que falar com o chefe...

A voz dele era um sussurro sensual. Sua mente lutava para se manter sã, mas o corpo já gritava com a necessidade de se enroscar no dela. Murilo reuniu forças de onde não tinha e a afastou com cuidado.

— A equipe está esperando por nós. Realmente, agora não vai dar.

Ela assentiu. Ele estendeu a mão e entrelaçou seus dedos.

— Vamos lá. Diga ao Dylan que estava nervosa e que sente muito. Apenas isso e...

Ela tirou a mão da dele bruscamente.

— Esqueça.

— Babi, não seja teimosa.

— Deixe isso pra lá, Alan, porque tenho que aceitar que a essa altura meu irmão já deve estar morto, e, quanto a mim, se Dylan não me matar, Julián o fará. Parece que, afinal, eu só estou prolongando uma situação inevitável. E se eu vou morrer, morrerei sabendo que mandei merecidamente a merda do seu chefe se foder, e não retiro uma palavra do que disse.

— Porra, neném, isso é foda! Que merda!

Ouvir que esse ou aquele iria matá-la enfureceu Murilo. Nada ia acontecer a ela. Teriam que matar ele e toda a porcaria da equipe até que colocassem as mãos nela. Ele era um agente dos bons. Cortaria seu pau fora se não a tirasse ilesa dessa maldita situação.

— Ninguém vai matar você. Não diga uma idiotice dessas novamente. Entendeu?

Eles se encararam com raiva e ela cruzou os braços, emburrada, dando-lhe as costas. Murilo soltou um palavrão e saiu do quarto. Dylan ia ter que reconsiderar e ponto final.

Murilo parou do lado de fora do quarto e respirou fundo. Sentia-se mais uma vez pasmo com a maneira como ela conduzia as coisas. Ele tinha que concordar que Babi estava mais do que certa: era uma porcaria de vida a que ela levava e estava chegando à conclusão de que não valia a pena continuar. Babi estava muito perto de desistir e Murilo se apavorou em pensar que ela podia se entregar ao colombiano simplesmente para morrer.

# CAPÍTULO 12

**"Só o inimigo não trai nunca."**

**Nelson Rodrigues**

Dylan estava com o orgulho ferido e não percebia que a pequena decodificadora estava rachando emocionalmente, e que isso era péssimo para a missão.

Murilo abriu a porta de supetão, caminhou a passos largos até ela para abraçá-la e a beijou ternamente. Queria que ela soubesse que ele estava ao seu lado para qualquer coisa. Ela era sua escolha.

Era para ser um beijo rápido, mas se transformou em um beijo faminto. Ela estava frágil e se agarrou a ele. O desejo dominou-os e tomou conta dos seus instintos. Murilo daria a vida para deitar na cama com ela naquele instante e transar até o dia seguinte, mas não ia dar. Dylan estava esperando, e eles tinham que entrar sorrateiramente no bar para alterar as câmeras e instalar microfones para a festa particular.

Ele encerrou o beijo com dificuldade e olhou-a, seus lábios entreabertos e a respiração ofegante. Com certeza ela já estava molhada, quente, desejosa e pronta para ele e, por Deus que ele estava sempre preparado para tomar o que já era seu. Murilo encostou sua testa na dela e sussurrou desejoso:

— Quando eu voltar para o quarto hoje, vou te acordar e transar com você até que estejamos esgotados demais para sequer falar. Vou te fazer gritar meu nome e gozar pra mim por vezes seguidas.

Ela se derreteu nos braços dele e acariciou seu peito com as pontas dos dedos. Babi se esticou para beijar aquela boca esculpida como se tivesse sido feita pelas mãos de um artesão habilidoso. Ela fechou os olhos, sentindo o hálito com sabor de hortelã dele. Ela inspirou esse ar e sussurrou, dengosa:

— Vou gostar disso.

— Vai gostar um pouco?

— Muito.

— Muito quanto?

— Demais.

Ele gemeu em frustração e a beijou novamente.

— Preste atenção: você é a minha escolha. Entendeu?

Babi havia entendido e seu coração inchou no peito. *Deus do céu, ele era um sonho.* Um sonho bom que tinha aparecido no meio da imensa tempestade em que ela vivia.

— Eu confio em você.

Ele assentiu, satisfeito, e se afastou dela porque estava a cinco segundos de fingir que não tinha uma equipe inteira esperando por ele e a levaria para a cama.

— Fique aqui dentro e, pelo amor de Deus, mantenha sua boca controlada antes que morra por causa dela.

— Vou tentar.

Os homens estavam nos monitores e arrumavam o arsenal que levariam na operação. Dylan falava ao telefone e Lorena organizava uns papéis. Quando Murilo entrou, o chefe o olhou de rabo de olho. O brasileiro foi checar as imagens e decidiu que só falaria sobre a decisão de Babi de não se retratar se o comandante abordasse novamente o assunto.

Os agentes vestiam preto porque era a cor que facilitava se ocultar nas sombras. Iriam cortar a energia principal para que as câmeras ficassem desligadas e entrar pelo corredor do escritório de Giovanni.

Eles fariam as alterações necessárias e instalariam câmeras extras sobre o balcão. Era muito importante identificar os homens de Julián. Sam e Fritz entrariam no bar como novos ajudantes de cozinha. Will os tinha alertado sobre o buffet que serviria na festa. Giovanni sempre trabalhava com um pessoal terceirizado e não controlava os funcionários da empresa, por isso tinha sido fácil incluir o nome dos dois agentes como garçons.

Um furgão equipado com dispositivos de segurança e câmeras monitoraria a festa de perto. O carro ficaria estacionado em uma rua lateral, que daria acesso rápido se algo sério acontecesse.

Os agentes estavam prontos para partir. Dylan olhou seus homens e desligou o telefone.

— Onde está a menina?

— Dylan, ela está sob pressão. Tem muita coisa acontecendo na vida dela. Não leve isso tão a sério.

Sam era o agente mais velho de Dylan, embora fosse apenas poucos anos mais jovem do que o chefe. Ele era sensato e ponderado na maioria das vezes, e era o mais próximo de um melhor amigo que o comandante tinha. Ele também veio em defesa de Babi.

— Chefe, talvez possa deixar isso para ser resolvido quando tudo terminar e ela estiver mais calma.

— Não.

Ramon foi falar e o fez do seu jeito, usando todo o gênio latino que Dylan fazia questão de frisar o tempo todo o quanto odiava.

— Merda, Dylan, você está realmente ofendido porque alguém mandou você se foder ou porque isso foi feito por uma garota que tem mais coragem do que todos nós já tivemos um dia? Porra, releve e acabe logo com essa merda porque ninguém aqui vai deixar aquela garota enfrentar os homens de Julián sozinha.

Dylan pensou um pouco. A garota era uma bruxa que tinha enfeitiçado seus agentes ou o quê? Ele olhou para o rosto determinado de seus homens e concluiu que, por ora, teria que engolir o desaforo, mas definitivamente a decodificadora iria ter que se retratar mais cedo ou mais tarde.

— Mexam-se logo e não deixem rastro. Não quero isso mais ferrado do que já está.

Os agentes não esperaram uma segunda ordem.

Do outro lado da rua, Laura observava a movimentação sutil dos caras. Eles deslizavam pela noite como sombras, totalmente imperceptíveis. Ela tinha notado a maneira deles trabalharem quando esteve no apartamento. Eram agentes, sem dúvida alguma. Ela estivera tempo demais em volta de pessoas desse tipo para não saber.

Seu pai nunca havia lhe dado mais do que meio minuto de atenção porque sempre tinha uma missão para organizar, reuniões para presidir, assuntos para tratar. Sua mãe tinha ido embora com outro homem quando Laura era adolescente porque não suportou a vida monótona que o marido sempre a submeteu em nome da segurança nacional, e Laura tinha sido deixada para trás. Quando soube de sua opção sexual, seu pai surtou e praticamente a deserdou, embora depositasse uma pensão gorda em sua conta para que ela se mantivesse longe e nunca precisasse retornar para casa.

Ela bufou indignada. Tinha sua vingança secreta contra o pai; mais cedo ou mais tarde ele saberia. Agora, no entanto, sua preocupação era Babi. Gostava dela, apesar de tudo, e não foi sacrifício algum manter um olho nela para Julián durante esse último ano.

Mas agora estava em uma sinuca de bico. Se avisasse Dan, o braço direito de Julián para os negócios no Brasil, de que aqueles caras eram agentes, ele mataria Babi. Não arriscaria meio minuto de suas operações criminosas em prol da vida da moça. Se não avisasse, corria o risco de ter que enfrentar a ira do colombiano.

Mais cedo, Laura tinha recebido uma ligação do pai sobre um possível dossiê que tinha sido encomendado aos federais sobre a vida dela por fontes não reveladas. Como o homem era muito influente dentro dos departamentos de segurança, é claro que ele foi avisado e reportou a ela.

O pai estava furioso. Queria saber em que ela estava metida para que um levantamento minucioso da sua vida fosse pedido. Ele estava tentando chegar até a fonte que tinha solicitado a pesquisa, mas era algo além do que seus contatos puderam averiguar.

Laura sabia que tinha sido o desgraçado do Alan. Em breve, ele saberia por que ela era uma "desocupada" filhinha de papai. Quando visse de quem era filha, as coisas se encaixariam para ele. O impasse estaria em saber o que o rapaz faria com a informação.

Para todos os efeitos, ela era uma lésbica riquinha que vivia às custas do pai. Seria bom ele acreditar nisso, era muito melhor que saber que ela era um dos contatos de Julián que mantinha o colombiano informado sobre os passos da decodificadora mais eficaz de todos os tempos.

Estar mais próxima de Babi foi um bônus que ela não contava, mas do qual gostou. Gostou muito, e pretendia retomar as coisas de onde pararam. Quando investiu em uma relação com a moça, pretendia apenas estar mais dentro da vida dela para fazer seu trabalho melhor, mas havia se envolvido. Elas se beijavam e se acariciavam às vezes, mas Babi era resistente sobre ir para a cama.

Babi não era gay de fato, apenas tinha um coração muito machucado e tentava um novo caminho. Mas Laura ansiava pelo dia em que ela cederia e a deixaria ir mais longe. Talvez um dia, talvez quando aqueles agentes imbecis a deixasse em paz.

Na festa, deixaria Dan dar o recado que ele pretendia a Babi. Os agentes com certeza estariam monitorando tudo. Depois do evento, ela falaria a verdade para Dan. Babi estaria no apartamento em segurança e as coisas se ajeitariam.

Queria ser uma mosquinha para ver a cara da Babi quando olhasse para Dan. Ela surtaria. Dan estava ansioso com o encontro. Laura pôde ver isso em seus olhos quando falava dela. Por pior que ele tenha sido com a garota no passado, Babi foi alguém por quem um dia Dan se importou. Quando Julián ordenou que ele retirasse o time de campo e, mais tarde, que Laura entrasse na vida de Babi, o homem ficou enciumado e eles até discutiram.

Dan fez uma escolha que não tinha volta. Babi seria sempre para ele um sonho que nunca se tornaria realidade novamente. Azar o dele. A verdade era que não importava se tinha sido Dan, ela ou Alan, a moça tinha uma meiguice e um jeito de ser que encantava. O colombiano estava intrigado com a maneira natural que a garota envolvia a todos. Ele pensava que podia aproveitar esse dom, além da decodificação. Ele tinha planos para ela.

Laura suspirou. Não era nada bom quando Julián fazia planos para alguém. As coisas ficavam ruins. Ela conhecia Babi o suficiente para saber que ela não cederia facilmente, porém, na pior das hipóteses, Julián cumpriria sua ameaça e mataria Tiago. Seria um favor que ele faria ao menino, que estava muito debilitado com o cativeiro de mais de um ano. O colombiano obrigava o garoto a trabalhar incansavelmente carregando e descarregando as mercadorias e na produção da droga dentro dos armazéns do cartel.

Ela tinha visto o rapazinho algumas vezes. Ele lembrava muito a Babi:

era valente e não se dobrava aos homens de Julián com facilidade. O menino apanhou muito por causa de sua desobediência, mas resistiu à violência com bravura. Entretanto, agora estava sucumbindo aos maus tratos.

Duas horas depois, a moça viu quando as sombras escorregaram para fora do bar e entraram em um furgão, sumindo pela noite. Ela ligou seu carro e foi para casa.

Já era de madrugada quando Murilo chegou ao apartamento dos agentes. Ele teve que parar na porta para apreciar a visão. Babi estava toda à vontade na cama, com os cabelos espalhados pelo travesseiro, um braço descansando na barriga e o outro erguido perto da orelha. Dormia profundamente e era a coisa mais linda de se olhar.

Ele tirou a roupa com um pouco de pressa e deitou na cama ao lado dela. Deus, ela era tão suave e macia que nem parecia de verdade. Ele deu um beijo na boca adormecida, outro na testa, nos olhos e enterrou o rosto no seu pescoço cheiroso. Murilo mordiscou o lóbulo da orelha e espalhou beijos por todo o rosto dela.

Ela se remexeu e segurou-o com delicadeza, deixando que ele beijasse novamente toda a extensão da sua nuca, onde sussurrou baixinho:

— Hora de acordar.

— Estou com sono.

— Vou te fazer perder o sono.

Ela sorriu porque, na verdade, já estava bem acordada. Babi ergueu os olhos para ele e viu o corpo nu já preparado para ela.

— Você está pelado?

— Não preciso de roupas para o que vamos fazer.

As mãos dele passeavam pelo corpo dela, e ele tirou sua camiseta velha em dois segundos.

— Você é tão linda.

Ele beijou os seios empinados, enfiando-os abundantemente na boca e sugando-os com vontade. Os bicos ficaram ainda mais intumescidos e ele brincou incansavelmente com cada um deles, lambendo e mordiscando enquanto os apalpava e incitava com as mãos. Depois, Murilo beijou cada pedacinho dela e a garota pensou que ia explodir de tesão. Mesmo se quisesse não poderia resistir a ele. Bastava que colocasse as mãos ou a boca nela e tudo estava perdido. Ela se derretia como manteiga em recipiente quente.

Os beijos a deixavam atordoada. Ele explorava os lábios dela, puxando-os delicadamente e fazendo com que o ar ficasse preso na garganta com sua língua saborosa e exigente.

As mãos dela sentiam a textura espessa dos cabelos na nuca e a firmeza dos músculos do braço e do tórax. Ele era uma rocha maciça, mas tinha suavidade no toque e destreza em manuseá-la sob seu corpo.

Ele a deixava pronta para se entregar a qualquer hora que ele quisesse. Babi podia sentir o desejo desesperado dele crescendo também dentro dela. Ela podia ouvir os seus próprios gemidos e não se importava se alguém mais a ouvisse. Aquilo era tão gostoso e tão bom que ela não pensava em mais nada.

E assim era com ele também. Sentir a maciez do corpo dela se abrindo para ele e vê-la tão desejosa e perdida em suas emoções era muito extasiante.

Murilo a colocou por cima para poder apreciá-la. Ele a ergueu e a guiou para receber seu membro inchado, duro e muito desejoso. Babi se abaixou sobre o pau ereto e gemeu alto sua satisfação de senti-lo todo dentro de si.

Segurando-a pela cintura, Murilo ditou o ritmo, primeiro cuidadoso, lento e sensual, depois, mais rápido e mais forte. Ela impulsionava seu corpo para subir e descer sobre o dele.

— Neném... Estou tão perto...

— Eu também... só um pouco mais forte.

Ele atendeu o pedido dela e estocou firme e repetidas vezes dentro dela.

— Ah... Alan... Alan... eu...

Ele adorava ouvir a voz manhosa e os sons de satisfação que ela emitia enquanto ele a tomava. Queria que fosse seu nome de verdade ao invés de sua identidade secreta, mas não importava. Ela estava gemendo e gritando por ele.

Murilo a virou na cama, deixando-a por baixo enquanto acelerava o ritmo e colocava seu ouvido bem próximo da cabeça dela para poder sentir sua respiração quente e desequilibrada enquanto se doava a ele. Amava senti-la dessa forma. A maneira que arqueava os quadris pedindo mais, e ele dava.

Daria tudo que ela pedisse, tudo que ela quisesse, e ainda não seria o suficiente, porque simplesmente sua vontade por ela parecia não conseguir ser saciada.

O homem rugiu como um leão quando gozou e ela já estava em outra dimensão, sentindo seu corpo tensionar, arrepiar, levitar, relaxar e então voltar para a Terra de mansinho. *Deus do céu, que homem era esse? E o que ele estava fazendo com ela?* Babi o apertou com carinho e grunhiu manhosa. Era dela. Apenas isso, simples assim. Ele era totalmente dela.

Ele ainda ficou um tempo imóvel em cima dela, apreciando a vista. Seus cotovelos sustentavam seu corpo grande e as pernas dela ainda estavam enlaçadas sobre o quadril dele. Babi deslizava seu pé pequeno e delicado pela parte de trás da coxa dele e nem bem haviam terminado ele já se sentia disposto para recomeçar.

— Se não parar de fazer isso, nunca vai conseguir que eu saia de cima de você.

— Talvez eu não queira que você saia.

— Eu posso ficar aqui para sempre.

Eles riram e ele beijou sua boca doce com um beijo que começou preguiçoso, mas que foi se intensificando. Babi se remexeu embaixo dele pedindo o que ele já estava pronto para lhe dar novamente.

Murilo sabia que era um cara resistente para o sexo. Talvez fossem seus incansáveis treinamentos de resistência na agência que tivessem intensificado sua disposição, ou quem sabe fosse algo natural do seu organismo. O fato era que podia transar a noite toda sem problemas, mas nunca tinha achado uma mulher que conseguisse acompanhar seu ritmo. Até agora.

Babi era muito disposta e sempre pronta para transar com ele quantas vezes o desejo de ambos exigisse. Ela era uma danada forte e insaciável, e ele estava louco por ela. *Céus, estava muito louco por ela e isso era um pouco assustador, mas era também muito gostoso de sentir*. Ela o arrebatava, o deixava insano e ainda assim ele a queria como nunca quis outra mulher.

Muito tempo depois, ele a tinha adormecida nos braços, a perna jogada em cima da dele e a mão pequena espalmada em seu peito. Murilo estava muito contente em tê-la ali. Parecia que era o lugar ao qual ela sempre tinha pertencido. Ele apertou os braços em volta dela, assegurando-se de que era dele, só dele e de mais ninguém.

Nenhuma namorada dos infernos para incomodá-lo, mas algo o tinha preocupado. Durante aquela noite toda, ele não tinha usado preservativo.

Parecia tão natural estar com ela que, pela primeira vez na vida, não tinha sido cuidadoso. Nunca antes isso tinha acontecido. Ele se esquecera completamente.

Considerando que ela tinha uma namorada antes dele, com quem não transava, dificilmente estaria tomando pílula. Seria inesperado se tivessem uma surpresa a caminho. Não era a hora. Estavam no meio de uma missão e iniciando um relacionamento, mas não era nada de outro mundo também. Um bebê não era algo irreparável, afinal, e ele podia lidar com o fato de ser pai.

Já tinha trinta e um anos e seus pais ficariam radiantes se ganhassem um neto.

Ele sorriu com a ideia. Devia estar muito apaixonado mesmo para considerar bacana ter um filho com alguém que acabara de conhecer, mas que se foda, ele foi descuidado e se ela tivesse engravidado isso não seria tão ruim. Na verdade, um bacuri poderia ser muito bem-vindo, uma vez que sua mulher estaria ligada a ele pra sempre.

Murilo beijou o topo da cabeça dela. Sentia os sinos de advertência baterem em sua mente. Estava muito sentimentalmente envolvido por ela. Estava amando. Era isso, estava amando aquela pequena e não queria pensar em como ia lidar com esse sentimento e no quanto isso ia afetar seu lado profissional.

Babi estava deitada de conchinha, com o corpo de Alan apertado ao seu. Era uma sensação boa. Um sentimento de pertencer a alguém que há muitos anos ela não sentia. Ele era lindo e carinhoso. Um pouco arrogante e confiante demais em si mesmo, mas ela gostava. Gostava muito. Gostava demais até dessa sensação.

Ela entrelaçou os dedos com os dele e se aconchegou mais. Era bom estar ali e saber que alguém realmente se importava e gostava dela. Babi não tinha isso com Laura. Era algo que não tivera com ninguém desde Dan.

Do mesmo jeito que o pensamento veio, ela o colocou no fundo da mente. Não queria pensar em coisas ruins. Alan estava ali e ela tinha a impressão de que, mesmo o chefe tentando convencê-la de que eles eram bandidos, essa informação não procedia. Estava quase certa de que eram policiais.

Alan beijou sua orelha e ela soube que ele tinha acordado. Subiu a mão até o seio dela e acariciou primeiro um, depois o outro, estimulando e brincando com eles enquanto roçava no ombro dela com a boca.

— Bom dia.

Ela se virou para olhá-lo.

— Bom dia. Gosto de acordar assim.

— Gosto de te acordar assim.

Murilo estreitou seu abraço sobre o corpo dela e eles ficaram em silêncio curtindo a presença um do outro. Babi pensou que o nível de intimidade que tinham alcançado em tão pouco tempo era impressionante. Ele a segurava com posse, como se estivessem juntos há tempos, e ela se sentia exatamente assim também.

O rapaz quebrou o silêncio.

— Nos esquecemos de algo importante ontem.

— Do quê?

— Preservativo.

Babi sentiu seu corpo ficar tenso e sua mente voltar para quatro anos atrás. A mesma conversa em uma situação muito parecida, com a diferença de que ela não era mais tão ingênua.

— Estou protegida.

Ela saiu dos braços dele de forma brusca e começou a vestir a roupa.

— Por que estaria protegida se saía com uma mulher e nem dormia com ela? Espera um pouco, você saía com outros caras?

— Por que o que eu fazia ou deixava de fazer antes de te conhecer pode importar?

— Porque gosto de conhecer com quem estou dormindo.

Eles se encararam. Murilo saiu da cama e colocou a calça jeans rapidamente. Esfregou o rosto e passou as mãos pelos cabelos desgrenhados.

— Não sou promíscua, Alan.

— Eu não disse isso.

— Pode ficar tranquilo, não vou engravidar.

Ela fez menção de sair e ele a segurou.

— Por que tomar pílula se tinha uma relação com uma mulher? Quero saber. Você teve uma relação heterossexual antes dela?

— Sim.

— Por que continuou tomando pílulas?

— Não tomo pílulas, eu uso DIU.

— Por que não tirou?

— Pra não correr riscos como o de hoje.

— Foi ele quem te magoou?

— Não quero falar disso, Alan.

— Eu quero saber.

— Não lhe diz respeito.

— O que ele fez?

— Nada.

Ela se soltou e foi para o banheiro. Murilo ficou imaginando como o idiota poderia ter magoado alguém como ela.

Quando o agente apareceu na sala, Dylan segurava os dossiês que tinha encomendado à agência de segurança nacional sobre Will e Laura.

— Estão em português. Você vai ter que ler e repassar.

Murilo folheou as primeiras páginas. Lorena colocou uma xícara de café na mão dele, que se sentou para ler as pesquisas com atenção.

Babi passou do quarto para a cozinha e murmurou "bom dia" por entre os dentes. Dylan ignorou-a e os agentes acharam que o chefe estava mesmo muito ofendido com ela.

As informações do dossiê mostravam que Will era muito culto, estudado e viajado. Tinha conhecido mais de quinze países diferentes, feito cursos no exterior e estudado inglês, espanhol e italiano. Era de família modesta e tinha superado a pobreza com seu próprio esforço. Trabalhou como garçom, assistente de cozinha, professor de inglês e, finalmente, se estabeleceu como um barman de sucesso. Tinha um salário razoável e um apartamento próprio. Teve algumas relações sérias, sempre com homens mais velhos e de boa índole.

A família teve boa aceitação com o fato de ele ser gay. Will tinha duas irmãs e era muito festeiro. Nada que desabonasse seu caráter. Nenhuma ficha policial, nenhuma briga de final de noite. Nada.

Laura o surpreendeu. Era filha de um dos diretores da ABIN, a Agência Brasileira de Inteligência. Isso explicava sua boa vida financeira sem ter que trabalhar. A mãe abandonou seu pai quando Laura estava com quatorze anos e nunca mais voltou. Foi criada por terceiros, uma vez que o pai não tinha tempo para se dedicar à vida de uma adolescente. A garota teve vários problemas escolares e amigos de caráter duvidoso durante o ensino médio, além de problemas com bebidas, drogas e uma passagem pela polícia na mesma época por vandalismo.

Ela abandonou a faculdade de Direito no terceiro semestre; era uma das piores alunas do curso. Assumidamente homossexual desde os dezessete anos, encabeçou movimentos partidários a favor do casamento gay. Teve muitos problemas familiares. Foi morar sozinha aos dezoito, mas vivia de pensão até os dias de hoje, mesmo não mantendo uma relação harmoniosa com o pai.

— Ou seja, uma folgada desordeira.

Murilo bufou. Alguma coisa não cheirava bem sobre Laura.

Dylan se aproximou dele depois de desligar o celular.

— Por que pediu um relatório sobre a filha do diretor da ABIN? Recebi uma ligação do presidente da organização para esclarecimentos a pedido do pai da garota.

— Ela é a ex-namorada da Babi.

— Ex-namorada?

— Sim.

— Algo com que devamos nos preocupar?

— Ainda não sei, chefe. Ela tem alguma coisa que não engulo. Tem algo sobre ela que me incomoda.

— Seria uma rivalidade amorosa, talvez?

Murilo olhou para ele.

— Estamos discutindo minha vida sentimental aqui?

— Não que eu saiba.

— Então minha desconfiança sobre ela também não tem nada a ver com minha relação com a Babi.

— Espero que não. De qualquer forma, se tem certeza de que sua desconfiança tem fundamento, mande checar. Eu me entendo com o pai dela.

— Sim, senhor.

— A relação delas era assumida?

— Sim.

— Interessante.

Dylan ficou curioso em saber como Murilo entrou no meio dessa história e colocou, aparentemente com facilidade, a namorada da decodificadora para escanteio. O agente tinha sido rápido, o que mostrava atitude até na vida pessoal. O comandante riu sozinho e foi para a cozinha, onde encontrou Babi lendo um jornal enquanto comia. Sentou-se na frente nela.

— Senhorita Savi, sabia que sua ex-namorada é filha do diretor da ABIN?

A garota fechou o jornal e olhou para ele, desconfiada.

— O que significa ABIN?

— Agência Brasileira de Inteligência. É o principal órgão que cuida da segurança pública no seu país.

Babi estava surpresa com a informação.

— Não. Eu não sabia. Mas o pai dela está vivo?

— Sim. Quanto tempo durou a relação de vocês?

— Eu a conheço há dois anos e há aproximadamente um ano ficamos mais próximas.

— O que você sabia sobre ela?

— Que recebia uma pensão de um pai militar que morreu quando ela era adolescente.

— Você já esteve na casa dela?

— Uma vez. Ela preferia sempre ficar na minha casa ou na do Will.

— Tem o endereço dela?

— Não me lembro bem, sei que é aqui na zona sul.

— O que sabe sobre a família dela? Mãe, irmãos...

— Pelo que me disse, a mãe se casou novamente e foi morar no sul, mas não mantiveram contato e não tem outros irmãos.

— Falou com ela sobre o evento de hoje à noite?

— Ela deve ter ouvido alguma coisa, sem muitos detalhes. Apenas o Will sabe que há algo errado, foi ele quem avisou o Alan e o Diego antes mesmo de o meu chefe me dizer.

— Ligue para seu amigo e veja se ele comentou com ela qualquer coisa.

Se não contou para ninguém, peça sigilo absoluto. A última coisa de que preciso agora é o serviço de inteligência interferindo nos meus assuntos.

— Está bem.

Ela foi até o quarto e ligou para Will. Ele garantiu que não tinha dito nada a ninguém. A garota lhe passou todas as recomendações e, depois, voltou para a cozinha.

— Está feito. Ele guardou segredo.

Os agentes entraram na cozinha ressabiados. A última vez que o chefe e a garota estiveram juntos não tinha tido um bom resultado, mas o clima por ali estava amistoso.

# CAPÍTULO 13

**"O tempo é o dono das revelações."**

**Shi-Fu Kleber Farache**

Babi ouvia as recomendações de Sam:

— Eu e Tobias estaremos transitando pelo bar junto com o pessoal da cozinha. Toda e qualquer conversa será ouvida e gravada com os equipamentos do furgão. Se houver um único movimento estranho envolvendo armas, se abaixe, e mantenha seu traseiro tão próximo do chão quanto possível. Não saia do campo de visão das câmeras em hipótese alguma. Se pedirem qualquer coisa diferente do que o que habitualmente faz no bar, se negue a fazê-lo sem hesitar. Entendeu, Babi?

— Sim.

— Se eu ou o Tobias dermos uma ordem, não questione, apenas cumpra. Se eu disser pule, não perca tempo perguntando de qual altura, simplesmente faça.

— Tudo bem.

— Caso, por uma sorte fodida do destino, o Julián em pessoa estiver dentro do bar essa noite, basta nos dizer discretamente "primeiro à vista" e saberemos de quem se trata. Se alguém muito importante e ligado diretamente a ele estiver lá, você vai nos dizer "segundo à vista" e nada mais.

— Entendi.

— Agora, troque seu piercing do umbigo por este — Diego estendeu para ela uma nova bijuteria —, que tem um microrrastreador via satélite. Se alguma coisa der errado, vamos encontrá-la. Apenas mantenha a calma e evite que eles percebam que você está usando monitoramento.

— Certo.

— E, Babi...

A garota ergueu a mão dando sinal para ele parar.

— Por favor, não precisa me ameaçar ou ao meu irmão. Eu não vou fazer nada além do combinado e não vou foder com essa maldita operação.

Os caras deram um meio-sorriso para ela. A coitada já tinha ouvido todo tipo de ameaça de cada um deles e estava farta de recomendações.

Babi pegou um táxi porque Dylan achou que havia uma possibilidade de ela estar sendo monitorada pelo facilitador ou mesmo por Julián. Ela entrou pela porta dos fundos, como era seu habitual, e se trocou.

A roupa que comprara especialmente para o evento era uma blusa branca frente única de couro com um decote generoso e uma microssaia da mesma cor. As sandálias de salto eram sedutoras. Os cabelos soltos ajudaram a esconder o comunicador na orelha e o microfone embaixo da alça da blusa. Ela estava deslumbrante.

Babi arrumou seu balcão e falou com Giovanni, que já tinha monitorado o andamento da cozinha e do músico especialmente contratado para a noite. Era um evento jovem, mas requintado. Ao que parecia, não haveria ninguém suando a camisa na pista de dança. O assistente designado para ajudá-la era um rapaz sério e carrancudo, que apenas a auxiliava discretamente com a limpeza ou buscando garrafas de bebidas no estoque.

Os primeiros convidados foram recepcionados por uma moça bonita que fazia parte do quadro de funcionários do buffet. Sorridente, Babi deu início aos preparativos dos primeiros drinks.

Do lado de dentro do furgão, Murilo e Ramon prestavam atenção às imagens e aos sons. Quando a viu vestida com aquela roupa tão sensual, Murilo quase enfartou.

— Maldita! Precisava ficar tão exposta assim?

Ramon assoviou baixinho e sorriu com a carranca do amigo.

— Sua pequena é deslumbrante.

— E eu posso ficar tentado a furar seus dois olhos se não parar de olhar pra ela desse jeito.

— Desse jeito como?

— Cheio de vontades.

O mexicano riu alto e Murilo bufou indignado. Estava morto de ciúmes, de novo. Isso parecia estar virando um hábito na sua vida e ele não estava gostando nem um pouco.

Jason ficara responsável pela direção e monitorava qualquer ação suspeita aos arredores. Dylan e Lorena tinham ficado com o JX em um local mais distante para dar cobertura, se precisassem.

A estimativa era de aproximadamente oitenta pessoas no bar e, ao que parecia, já estavam quase todos presentes. Homens e mulheres muito bem vestidos bebericavam suas bebidas, riam e conversavam.

Já passava de duas horas de evento e nada. Nenhum movimento estranho ou alguém suspeito. Ramon estava com o olhar preso nas câmeras e, sem desviar seus olhos, falou:

— Quais as chances de a gazela, digo, do Will, ter se enganado quanto a essa festa?

— Nenhuma, observe a câmera quatro. Duas pessoas entrando pela passagem exclusiva de Giovanni e mais seguranças logo atrás.

— Mike, Tobias, temos uma situação no corredor do escritório. Dois elementos com segurança reforçada chegando ao estabelecimento.

Todos estavam interligados aos microfones, assim, o que um dizia os demais ouviam. Murilo observou a reação de Babi, mas, embora ela tivesse escutado, não deu indícios de se alterar. Continuou sorrindo e conversando com os clientes normalmente. Era danada de boa no autocontrole.

Um dos homens era jovem, bem apessoado, com cabelos lisos e bem aparados. Ao seu lado, estava um grandalhão de cabelos compridos presos em um rabo de cavalo. Possivelmente, um segurança pessoal, além dos demais. Eles entraram sorrindo e sendo simpáticos com os clientes. O mais jovem, de cabelos curtos, fez uma social entre os convidados e depois se recostou no balcão. Evidentemente era ele a pessoa mais importante ali, já que o outro ficou ao seu lado discretamente.

O homem chamou Babi pelo apelido e ela se virou sorrindo, mas o riso morreu no seu rosto, que empalideceu instantaneamente. Murilo se remexeu, nervoso. A reação dela dizia que havia um problema. Ramon também observou.

— Ela o conhece.

— Parece que sim.

Ela respirava com dificuldade e ficou estática encarando o rapaz, que sorria para ela como se a conhecesse há anos. Babi tentou ser profissional, mas sua voz não estava firme.

— Po-posso te servir uma bebida?

— Claro. Você sabe do que eu gosto.

Ela não concordou nem discordou. Preparou um Blue Label duplo com gelo e o entregou ao homem.

Antes que ela retirasse a mão, ele a segurou pelo pulso.

— Senti saudades, amor.

— Desculpe, preciso atender aos demais.

— Eles podem esperar.

— Infelizmente não posso dar prioridade a apenas uma pessoa.

— Eu sou o dono da festa, posso requerer sua atenção. Afinal, fui eu quem exigiu sua presença aqui.

Ele sorriu, sedutor. Babi estava muito nervosa e o homem achou que seria melhor deixá-la se acostumar à presença dele.

— Por ora, posso te dividir com os demais. Não se prenda a mim.

Alguém veio falar com ele e ela voltou para o atendimento no balcão. O homem nunca deixava de olhá-la. Ele a comia com os olhos e Murilo se sentiu tentado a entrar e a tirar de lá.

O rapaz deu uma volta pelo ambiente, falou ao celular, riu e conversou com alguns convidados e novamente voltou a se sentar no balcão próximo a ela.

— Quero falar com você, Babi.

— Estou trabalhando, Caio.

— Dan. Sabe que meu nome é Dan há algum tempo já.

— Eu sei.

— Ouvi dizer que tem uma namorada. — Ele deu ênfase à última sílaba com uma ponta de sarcasmo. — Optou realmente pelas mulheres? Fiquei pensando se fui eu quem te fez desistir dos relacionamentos convencionais.

— Minha vida pessoal não é da sua conta.

— Temperamental, como sempre. — Ele riu, carinhoso, como se estivesse matando a saudade do jeito de ser dela. O rapaz olhou para Babi profundamente e falou com voz rouca e sexy:

— Acreditaria se eu dissesse que nunca te esqueci?

— Não.

— Mas é verdade. Eu me lembro de cada dia que estive com você ao meu lado, na minha cama, nos meus braços.

Ramon murmurava a tradução da conversa para os outros, uma vez que Murilo estava visivelmente transtornado em saber que o homem misterioso e a bartender se conheciam de outros carnavais. O agente brasileiro sentiu o sangue ferver, seus músculos tensionarem e as veias saltarem em seu pescoço com a tentativa de segurar uma reação. Eles tiveram um relacionamento sério?

Babi tinha um olhar mortal para o homem e o agente soube que era ele a pessoa que de alguma forma a feriu no passado. O cara chamado Dan continuou falando.

— Eu fico pensando como teria sido se eu tivesse escolhido outro caminho. Se, bem... se as coisas tivessem sido diferentes. Quantos anos teria nosso filho hoje? Quatro?

Ramon olhou espantado para Murilo, que tinha a boca aberta de incredulidade e estava com os olhos arregalados de surpresa. *Filho? Eles tiveram um filho? Jesus Cristo, tinha havido uma criança entre eles?*

Babi sentiu a garganta se fechar à menção do filho que nunca teve oportunidade de ver nascer. Ela se preparou para sair de perto dele, mas a ameaça contida no tom de voz daquele homem a fez recuar.

— Não me deixe falando sozinho porque vou reagir e que se dane todo mundo que está aqui.

Ela ficou olhando para ele. Era bonito, alto, forte e bem-apessoado, mas, por trás daquela carcaça bem-feita, existia um homem frio, sanguinário e capaz de tudo para alcançar seus objetivos. Ela estremeceu de medo.

— O que quer de mim?

— Ora, que pergunta tola. Não parece óbvio? É claro que o que quero é você de volta.

Ela olhou para ele muito surpresa e um tanto temerosa. O tom de brincadeira não a enganava. Era exatamente isso que ele queria e Babi ficou tentada a sair correndo enquanto o homem estudava a reação dela com um meio-sorriso.

— Está louco?

— Sempre fui, amor. Mas também estou muito certo de quem eu quero ao meu lado daqui pra frente.

— Isso nunca vai acontecer.

— Quer apostar?

Dentro do furgão, Murilo murmurou um palavrão e resmungou com a voz carregada pela raiva.

— Vai apostando, maldito.

Dylan o repreendeu.

— Foco, Alan.

Babi ouviu os dois homens em seu ouvido e ficou um pouco perdida. Dan achou que sua reação fosse por causa dele e sorriu. Ela voltou a ouvir a voz de Dylan.

— Aja com naturalidade, Babi.

Dan dobrou seu corpo no balcão e fez sinal para que ela se aproximasse.

— Por ora, vamos deixar o lado pessoal em segundo plano e falar de negócios.

Os agentes ficaram em alerta.

— Não tenho interesse em trabalhar para você.

— Quem são os homens que têm te vigiado de perto aqui no bar?

— Não sei do que está falando.

— Sabe sim. Para falar com você hoje, tive que trocar todo o circuito interno de câmeras, que estava sendo monitorado via wi-fi por eles. Precisei colocar meus homens particulares na segurança do bar para impedir que os rapazes entrassem. Eles invadiram seu apartamento depois que você sumiu por dois dias. Eles te seguem e te levam para casa depois do trabalho. O que está havendo, Babi?

— Como sabe dessas coisas? Você... Dan... Oh, meu Deus, você trabalha para Julián Martinez?

— Garota esperta. Agora vai falando, *baby*.

Ela estava pasma. Nunca tinha desconfiado. Um tanto desnorteada, ela ficou muda. Dan fez sinal com os dedos para que ela falasse, e ele parecia estar impaciente agora. Conforme tinham combinado, ela deu a ele as informações que Dylan tinha autorizado.

— Não me deixam saber muita coisa. Eles invadiram meu apartamento, como você já sabe, e tornaram minha vida um inferno porque queriam interceptar a mensagem com a rota para chegarem aos fornecedores antes de Julián.

— Certo. São policiais?

— Não sei.

— O facilitador avisou Julián sobre os homens, mas disse que desconhece a procedência deles. Eles perseguiram o contato dele. Agora o chefe quer te ver para obter respostas.

— Mas eu não tenho respostas, Dan.

— Vai ter que convencê-lo disso. Vamos sair discretamente daqui a uma hora para encontrá-lo. Tem alguém te esperando lá fora, amor? Os homens estarão aqui por você?

— Não sei.

— Não sabe ou não quer dizer? Não arriscaria a vida do seu irmão, não é, Babi?

— Sabe que não.

Por mais que isso não fosse mudar nada, Babi sentiu necessidade de saber se Dan já estava nesse negócio com Julián antes.

— Como está nisso?

— Eu sempre estive nisso, Babi. Por que você acha que não podia permitir que nosso filho vivesse? Era a esplendorosa vida familiar com você ou minha vida junto ao cartel.

— E você escolheu o cartel.

— É, escolhi.

A voz dele, por um momento, pareceu amarga, mas logo voltou à suavidade firme de um homem de negócios acostumado a dar ordens. Ele dobrou seu corpo no balcão novamente, ergueu a mão e tocou o rosto dela com as pontas dos dedos.

— Sabe que até gosto de saber que você sai com mulheres? Porque assim não tenho que lidar com a imagem de nenhum imbecil te tocando ou te enchendo com uma criança que não vai ser minha.

— Como se isso importasse.

Ele olhou para ela com pesar, mas logo se recuperou.

— Vá servir meus convidados, amor. Temos um encontro a sós mais tarde com nosso chefe.

Ele se levantou da banqueta e Babi o chamou:

— Dan.

— Sim?

— Meu irmão está bem?

— Está vivo.

Ele se misturou às pessoas e ela sussurrou no microfone:

— Acho que não preciso nem dizer, mas, em todo caso, "segundo à vista".

— Isso já foi entendido, Babi.

Murilo queria abraçá-la, queria tirá-la dali. Estava muito claro em sua mente quem tinha arrasado com o coração dela antes de Laura aparecer e quão grave isso tinha sido. Ela estava abalada e tudo que ele queria naquele momento era protegê-la, mimá-la e dar todo o seu apoio. Mas não era a hora nem o lugar para isso. Murilo usou sua raiva para focar na operação.

Dylan falou e deu as coordenadas.

— Mike, apague a luz do local em dez minutos. Tobias, retire Babi de lá. Lorena estará esperando no JX próximo à saída dos funcionários. James e Diego, interceptem os seguranças de lá para ajudar na retirada da garota e na nossa entrada. Alan cobrirá nossas costas. Precisamos desviar a atenção do homem do Julián para tirarmos Babi da reta deles. Vamos animar essa festa.

— Entendido — disseram todos.

Na cozinha, Babi ficou atenta a eles. Os homens iam e vinham sem fazer contato, servindo as mesas com eficácia como se não tivessem recebido uma ordem há segundos atrás. Ela tinha ouvido o chefe, e olhou no relógio de parede para se certificar de que estaria desocupada em dez minutos.

Foi tudo muito rápido. As luzes se apagaram e ela sentiu uma mão se fechar em seu pulso. Uma voz muito baixa sussurrou perto do seu rosto enquanto ela era puxada em direção à porta.

— Mantenha-se abaixada e corra para a saída.

Ela fez como mandado e, uma vez lá fora, foi empurrada dentro do JX estacionado bem perto da porta. Lorena saiu cantando pneu enquanto sons de tiros ecoavam pelos fundos. Babi olhou para trás a tempo de ver os caras entrando, e rezou para que ficassem bem. Lorena a repreendeu.

— Permaneça abaixada, Babi.

Para quem não conhecia a cidade, Lorena foi muito habilidosa no trânsito e se misturou rapidamente ao tráfego pesado de São Paulo.

— Acho que agora você já pode se sentar. Coloque o cinto e procure respirar. Você parece que viu um fantasma.

— Eles mataram os seguranças?

— Claro, de que outra maneira eles poderiam entrar na festa de um traficante?

Babi achou que a palavra "interceptar" neste caso queria dizer "render", ou quem sabe "amarrar". Ela pensou que, de agora em diante, ficaria muito esperta se ouvisse uma ordem como essa novamente, em especial se fosse dirigida a ela.

Quando as luzes se acenderam de volta no bar, não mais que trinta segundos depois, os cinco agentes e Dylan estavam espalhados pelo recinto, misturados às pessoas. O homem do rabo de cavalo cochichou algo com o tal Dan, que passou os olhos pelo local e percebeu os rostos diferentes entre seus convidados. Seus seguranças ficaram em alerta.

Havia muita gente para ele iniciar um tiroteio. Não ia arriscar. Em menos de meia hora, a polícia estaria ali e o caso seria exposto na mídia, evidenciando o nome de Julián Martinez. Giovanni foi avisado do sumiço de Babi e assumiu o bar junto com um dos funcionários do buffet. O homem estava vermelho de raiva e parecia a ponto de enfartar a qualquer hora.

Dylan encostou-se à ponta do bar perto de Dan. Sam e Fritz, ainda usando os disfarces de atendentes, ficaram em alerta pelo salão. Ramon ficou perto o suficiente para cobrir as costas do chefe. Murilo permaneceu na ala VIP, que ficava acima do salão e lhe dava uma boa visão para atirar sem errar.

Dan olhou para Dylan com ironia, bebeu seu drink e esperou. O comandante tomou seu tempo. Os agentes tinham que admirar o chefe, ele era perfeito no controle da situação, estava enervando o homem de Julián sem nem ao menos olhá-lo.

Apenas sua presença dava o recado de que ele não estava para brincadeira. Dan tentou, mas não conseguiu permanecer em silêncio. Manteve um tom de voz amigável e falou em português:

— Para o escritório nos fundos.

Ramon traduziu em inglês para o chefe e o braço direito do traficante se espantou.

— São estrangeiros?

— Sim.

Os homens seguiram para o escritório. Murilo sumiu pela porta que ligava o salão à área VIP e em segundos apareceu logo atrás de Ramon.

Assim que se acomodaram, Dan falou em um inglês perfeito,

dispensando sem rodeios a tradução latina de Ramon:

— Vejo que você tem interesse na minha bartender particular.

O comandante respondeu, sucinto:

— Muito.

Murilo precisou de todo seu autocontrole para não esmurrar a cara do imbecil, a palavra "minha" ainda pairando na mente dele, perturbando seus sentidos. Se ele não fosse um agente de alto escalão, treinado pelas forças armadas, iria mostrar ao homem a quem Babi pertencia de fato.

Ele se concentrou na pergunta de Dan a Dylan.

— Devo me preocupar com isso?

— Sem dúvida.

— Quem são vocês?

— Quero negociar a rota americana.

— Inegociável.

— Você não é o chefe.

— Eu tenho poder suficiente para decidir essa questão.

— E eu tenho a garota, e sem ela sua operação para colocar a droga em solo norte-americano fica comprometida.

— Posso arrumar outra pessoa para fazer o trabalho.

Dylan se levantou.

— Então o faça. Ela morta não serve para mim, mas também não serve para você.

Um dos seguranças de Dan fechou a saída de Dylan, e Murilo empunhou a arma com o braço esticado. De onde estava, o agente brasileiro tirava o grandalhão de cena com uma bala apenas, e seria tão rápido que ele nem veria a morte chegar. Dan ergueu as mãos em sinal de paz.

— Ei. Vamos com calma aqui.

Ele consentiu que seu segurança relaxasse. Murilo continuou na mesma posição, esperando que Dylan lhe autorizasse a descansar a arma. O chefe o fez com um aceno breve. Queria um acordo para chegar a Julián, e uma matança não resolveria nada. Dan convidou-o para se sentar novamente. Ramon se manteve ao lado do comandante.

— Morta, a garota não é boa para nenhum de nós. Podemos tentar um acordo.

— Quero a rota norte-americana para meus negócios e sem interferências.

— Isso não é algo que você possa exigir sem oferecer algo em troca.

— Faça sua oferta. Tenho o celular que a garota usava para falar com vocês. Entre em contato através dele até o fim da semana, senão me livrarei dela e cuidarei dos meus assuntos como melhor me convier.

— Sabe com quem está lidando?

— Perfeitamente.

— Não parece muito sensato impor condições.

O chefe dos agentes devolveu a pergunta ao homem de Julián:

— E você, sabe com quem está lidando?

— Para ser honesto, ainda não.

— Parece então que tenho uma vantagem sobre você.

— Não por muito tempo.

— Por tempo suficiente para eu te trazer grandes problemas. Aguardarei o contato do seu chefe.

Dessa vez, Dylan se retirou e os rapazes também saíram, nunca dando as costas para os seguranças de Dan.

Em poucos minutos, eles estavam no furgão, inclusive Sam e Fritz. A mente de Murilo era um turbilhão de informações. Tudo que ele queria era estar com sua mulher e saber os detalhes dessa história de ter tido um filho com o homem chamado Dan.

Afinal, o que tinha acontecido à criança? Devia ter morrido, mas como? Murilo sabia que Dylan estava ávido por informações sobre Dan, mas ele teria que esperar. Sentiu necessidade de avisá-lo sobre isso.

— Quando chegarmos ao apartamento, não fique no meu caminho com Babi.

— Temos que reunir o máximo de informações sobre esse homem e sabemos pela conversa que ouvimos que ela sabe muito sobre ele.

— Não hoje.

— Agente Marconi, é necessário que...

— Eu disse que hoje não, Dylan.

O comandante entendeu que mesmo um homem forte e bem treinado tinha seus limites. A garota tinha uma história que obviamente tinha sido trágica e que envolvia o homem de Julián.

Pela maneira como reagiu, era óbvio que ela não sabia do envolvimento dele com o traficante e a história sobre a criança tinha ficado mal-entendida para todos.

Estava claro que eles tiveram um filho, mas alguma coisa interrompeu o curso natural das coisas. Eles terminaram o percurso até a casa em silêncio. Lorena estava com ela na sala.

Babi vestia um roupão e tinha os cabelos úmidos. Assim que eles entraram, ela saiu correndo e abraçou Murilo.

— Graças a Deus vocês estão bem.

Ele a segurou forte e a beijou de leve enquanto ia guiando os dois para o quarto sem trocar uma única palavra.

Murilo fechou a porta, tirou sua jaqueta e a arma, colocou-as sobre a escrivaninha e a olhou. Ele se aproximou e tocou o rosto pálido da moça.

— Agora eu sei quem te fez tão mal.

— Por favor, agora não, Alan.

— Você não vai conseguir fugir do assunto.

— Não quero falar disso.

— Quero saber da criança, Babi.

Ela estava tremendo. Babi apertou mais o cordão do roupão como que para se proteger. Murilo foi suave, mas firme quando questionou novamente:

— O que aconteceu com o bebê?

A voz dela era um sussurro doído.

— Eu abortei.

— Não foi um aborto por causas naturais.

— Não.

Murilo fechou os olhos, mortificado. Ele a abraçou forte e beijou sua testa.

— Ele disse que não permitiu que o filho vivesse. O que ele fez? Obrigou você a interromper a gravidez. Foi isso?

— Não.

— Me diz, neném. Preciso da verdade.

— Ele me sedou e me levou para uma clínica. Eles mataram meu bebê sem meu consentimento. Eu estava inconsciente quando aplicaram uma medicação para eu abortar e fiquei sangrando por horas até... tudo acabar.

— Jesus Cristo!

Murilo apertou os braços em volta dela. Malditos. Ele devia ter atirado bem no meio da testa do desgraçado.

— Quando aconteceu?

— Eu tinha dezenove anos.

— Meu Deus, Babi! Quem mais sabe disso?

— O Will e o meu irmão. O Ti ficou comigo na época porque tive uma infecção quando voltei para casa e quase morri. Precisei de ajuda. Passei uns dias no hospital público e o médico queria me denunciar achando que eu tinha provocado o aborto. Acho que ele só não o fez porque pensou que eu não ia sobreviver e também porque meu irmão praticamente implorou.

— E os seus tios?

— Eu morava com o Dan na época. Eles nem ficaram sabendo.

— De quanto tempo era sua gestação?

— Cinco meses.

— Cinco meses? Mas estava muito avançada para provocar um aborto!

— Eu sei. Por isso tive complicações.

Agora era o agente quem estava branco como papel. Uma gestação de cinco meses interrompida podia tê-la levado à morte. Sua mente projetou as imagens dela em uma clínica clandestina e suja, sem nenhum preparo, sem um médico adequado, fraca, inconsciente e à mercê de um monstro. *Deus do céu, como ela sofreu!*

— Maldito!

— Era um menino. Eu já tinha feito uma ultrassonografia. Ele estava bem. Eu estava feliz.

Os lábios dela tremeram com a lembrança. Murilo não tinha o que dizer, e apenas ouviu seu desabafo.

— Estávamos juntos há dois anos, não era como se eu mal o conhecesse, entende? Mas depois eu descobri que praticamente não sabia nada sobre ele.

— Ele ficou bravo com a gravidez?

— Não. Surpreso, um pouco preocupado, mas nada que me indicasse o que ele faria. Ele tentou me convencer a fazer o aborto, mas eu resisti. Então, ele mudou. Começou a deixar evidências de que não era uma boa pessoa como eu pensava que ele era. Nem o nome dele era verdadeiro, Alan. Eu o conhecia como Caio.

Murilo sentiu como se um soco o atingisse bem no meio do estômago.

— Babi...

— Sabe o que é sua vida desmoronar porque acreditou que a pessoa que estava com você era uma e de repente você descobre que não sabe nem o nome verdadeiro dela?

Os olhos dela denunciavam toda a dor e indignação que um dia ela sofreu com o canalha.

— Eu descobri minha gravidez um pouco tarde, já estava entrando no quarto mês. Nunca tive meu ciclo muito correto, então, demorei para perceber. Quando me recusei a abortar, ele não se opôs de imediato, então, achei que ele estava apenas um pouco assustado. Um dia, fui dormir grávida e acordei sem nada mais na minha barriga, como se o feto nunca tivesse existido. Eu comecei a gritar desesperada e eles me sedaram novamente. Acordei no dia seguinte na minha casa. Ele disse que ia se ausentar por um tempo e que não era para eu procurá-lo. Ele foi embora e nunca mais voltou.

— Você nunca teve oportunidade de questioná-lo sobre o ocorrido?

— Não precisava. Antes de ir embora, ele apenas disse que um dia eu o agradeceria por ter me livrado de um filho dele.

— Filho da puta.

— Mas o que ele nunca entendeu é que o filho também era meu e eu tinha o direito de decidir.

Ela tinha lágrimas escorrendo por seu rosto agora.

— Ele poderia ter ido embora, eu nunca teria exigido nada dele. Cuidaria do meu filho de qualquer jeito.

O agente estava mortificado. Não precisava pensar muito para descobrir o que aconteceu. Ela tinha perdido a fé nas pessoas e transferido seu ódio a toda a raça masculina.

Ele ficou um tempo abraçando-a. Se pudesse apagar as lembranças da mente dela para nunca mais atormentá-la, ele o faria. Ela subiu a mão delicada por seu peito e tocou seu queixo com carinho.

— Alan, é esse seu nome, não é? Eu não vou descobrir que você não é você, vou?

Deus, ele queria sumir dali. Falar a verdade agora estava fora de cogitação; mentir faria com que ela automaticamente fizesse uma ligação entre as histórias dele e de Dan, e seria impossível ela não associar as consequências. Ela era uma pessoa traumatizada e ele estava fodido porque teria sérios problemas para convencê-la de que, nem de longe, ele era como seu antigo namorado.

Murilo respondeu para ela da melhor maneira que pôde.

— Eu não sou ele, neném.

Ela ficou na ponta dos pés para beijá-lo. *Deus, estava muito apaixonada por ele.* Os lábios macios passearam ternamente pelos dela. Ele a tocava apenas com a ponta da língua, deixando o beijo ainda mais sensual.

Babi se pendurou no pescoço dele, que a ergueu pela cintura e então a apertou firme junto ao corpo. Ela entrelaçou suas pernas no quadril do rapaz e deixou que ele a levasse para a cama. Foi, dentre todas, a vez mais suave que ele a tocou, como se quisesse deixar sua gentileza marcada em seu corpo e, com isso, minimizar as feridas profundas do seu coração.

Ele beijou os seios dela carinhosamente, sua língua incitando os mamilos enquanto os sugava com desejo e cuidado. Depois, desceu até suas partes íntimas como nunca tinha feito antes, terno e lento, rodeando seu clitóris, beijando-o, puxando-o até que ele mesmo estivesse duro e pulsante. Babi gritou o nome dele com adoração, gemendo e erguendo os quadris para que ele sugasse mais e mais.

— Gosta que eu faça assim?

— Me enlouquece.

A voz dela estava entrecortada, ofegante e ele soube que ela estava chegando muito perto, então intensificou suas lambidas, introduzindo a língua fundo dentro dela enquanto seu polegar esfregava o clitóris em círculos. Babi gemeu alto e seu corpo foi tomado por algo indescritível, sua mente se perdendo nas sensações.

Murilo subiu pelo corpo dela sem pressa. Queria degustá-la como se faz com o mais saboroso vinho.

O casal se amou profundamente mais uma vez e ele a fez gozar três vezes naquela noite, de forma doce e apaixonada. Babi retribuiu todo o amor, tocando-o, beijando-o, acariciando seu membro muito duro com as mãos, com a boca, com seu sexo. Murilo saiu de si. Que mulher era essa? Sua mente respondeu à sua própria pergunta. Era a mulher dele e, Deus, iria amá-la e protegê-la com sua própria vida e a faria feliz.

Aquela noite foi uma entrega de sentimentos. Estavam apaixonados e os amantes enxergam o sexo de maneira diferente: é uma união muito além do encaixe perfeito dos corpos que se deliciam na tentativa de saciar a fome que um tem pelo outro em um vai e vem íntimo.

Eles faziam amor e dormiam, depois acordavam e se amavam novamente e tornavam a adormecer até que embalaram no sono agarrados um ao outro.

Na semana seguinte, Babi foi proibida de trabalhar. Os agentes pediram que Will entregasse um atestado de saúde falso a Giovanni e explicasse que ela estava doente. Eles ficaram atentos, esperando algum contato, mas o assistente do traficante colombiano não deu notícia.

Babi ia e vinha pela casa, se sentindo bastante entediada. Murilo não saía da frente dos computadores e há três dias não colocava as mãos nela. Ele sequer trocava duas ou três palavras essenciais com ela. Quando tentou questioná-lo sobre o assunto, o homem a cortou secamente e deu uma desculpa qualquer. No dia em que confessou a ele todo seu drama vivido com Dan no passado, eles fizeram amor a noite toda, dormiram abraçados e ela se sentiu segura e amada. Mas, na manhã seguinte, Murilo estava todo profissional e focado no trabalho. Ela se sentiu miserável e ignorada.

O agente ficava entre os colegas o dia todo e só vinha para a cama bem tarde, quando ela já estava adormecida. Pela manhã, ao acordar, Babi estava sozinha.

No quarto dia de reclusão, a decodificadora entrou na cozinha à tarde e fez café fresco. Serviu-se de uma xícara generosa, bebeu um gole e fechou os olhos para a delícia do sabor que adoçou seu paladar. Depois fez uma bandeja com várias xícaras cheias do líquido quente e forte e levou para a sala de computador.

Os caras a receberam com um sorriso resignado. Pareciam cansados. Estavam trabalhando em cima de imagens, mapas e gráficos sem sucesso. Dylan ditava ordens, falava muito ao telefone e tinha infinitas reuniões com pessoas importantes que ela não tinha ideia de quem eram. A bela ruiva escultural, assistente do chefão, parecia nunca dormir.

Todos pararam para o café e já foram acendendo seus cigarros. Murilo passou por Babi parecendo não enxergá-la e saiu para a varanda juntamente com os outros. Ela o viu se afastar e não conseguiu evitar que os olhos ficassem marejados. O que será que ela tinha feito? Talvez ele não tivesse acreditado que o aborto fora provocado sem a autorização dela. Talvez ele achasse que ela tinha feito tal atrocidade por sua própria escolha.

*Talvez... bem, talvez... nada.* Não tinha respostas. Babi suspirou cansada e voltou para seu quarto. Não sabia o que pensar. Iria enlouquecer. Sentiu saudades imensas de seu querido irmão. Lembrou-se da sua infância feliz, do carinho dos pais que se foram tão cedo, das antigas amigas da escola. Dias que se foram e não voltariam jamais. Um sentimento de desespero apertou seu peito, fechou sua garganta e, sem perceber, ela soluçou alto. Babi andou pelo quarto com uma leoa enjaulada, a pressão no peito sufocando o ar. Não tinha ninguém além do Will, seu melhor amigo que a amava e protegia. Porém, embora ele ligasse todo dia, não estava autorizado a visitá-la. Estava sozinha, sem perspectivas, sem apoio e se sentia tão solitária que chegava a doer.

Babi desabou em uma montanha-russa de emoções descontroladas. Caiu de joelhos no meio do quarto, abraçou a si mesma e chorou suas mágoas, suas frustrações, sua saudade, sua má sorte.

A porta do quarto se abriu. Murilo olhou para aquela cena triste e estacou atordoado.

— Meu Deus, neném...

Ele correu para ela e a abraçou, mas Babi se desvencilhou de seus braços com irritação.

— O que aconteceu, Babi?

A voz cálida, amorosa e cheia de preocupação não combinava com a maneira que ele a tinha tratado todos esses dias. Murilo se ajoelhou de frente para ela.

— Deus do céu, Babi, não chora... por favor...

As palavras dele intensificaram o descontrole emocional dela, e Murilo se sentiu extremamente culpado. Sabia que a tinha negligenciado todos esses dias. Não suportava a ideia do que tinha acontecido com ela e o fato de não poder lhe contar a verdade. Queria muito lhe dizer quem era de verdade, falar sobre a vida dele, o que era, o que fazia, por que estava ali.

Não conseguia lidar com o fato de que ela não sabia nem mesmo seu nome verdadeiro. Isso iria destruí-la, e, consequentemente, destruir o pouco que tinham. Mesmo sabendo que ela estava chateada com o distanciamento dele, não imaginou o quanto a estava magoando.

Ele tentou uma nova aproximação e novamente ela recuou. Os soluços desesperados rasgavam o coração dele e o faziam se sentir um lixo. A vida dela e tudo que a envolvia era demais para uma garota de vinte e poucos anos.

O homem respirou fundo e sussurrou com a voz rouca:

— Me desculpe se eu... pareci um pouco distante... eu...

— Um pouco distante? — Ela ergueu os olhos para ele, os lábios trêmulos, a voz embargada. — Por que está com raiva de mim? Já não tenho dificuldades suficientes?

— Não estou com raiva de você, neném. Deus, é isso que está pensando?

— Eu não queria... eu não sabia... Ele, o Dan...

Murilo a puxou para si.

— Nunca duvidei de você, Babi. Não sabia que estava pensando isso... Eu apenas precisei de um tempo para mim. Não tem nada a ver com você.

Ele apertou os braços ao redor dela e Babi se agarrou a ele. Quando falou, sua voz estava baixa e rouca:

— Não me quer mais?

O agente fechou os olhos, vencido. Ela realmente não tinha ideia do quanto ele a queria, do quanto era importante para ele.

— Eu quero você mais do que já quis qualquer pessoa. Nunca pense que não.

Murilo segurou seu rosto com delicadeza, fitou-a com olhos apaixonados e a beijou. Um beijo doce, acalentador, lento e sedutor. Babi gemeu baixinho e deixou que aquele homem lindo, forte, sensual e protetor a arrebatasse completamente.

A língua dele acariciou a dela com experiência. Os dedos dela se fecharam na nuca dele e ela o trouxe para mais perto. Tinha necessidade dele, do seu toque, dos seus cuidados, da sua boca quente que a tomava por inteiro. Murilo sentou e recostou-se na parede, trazendo-a para seu colo.

Babi se aconchegou a ele, não deixando nunca que suas bocas se desgrudassem. A garota colocou a mão por dentro da camiseta dele e acariciou os gomos duros e definidos do abdômen. Ele gemeu em sua boca e ela sentiu sua respiração se alterar.

Murilo segurou sua mão e delicadamente cortou o beijo.

— Não agora, minha pequena.

— Eu quero... quero você. Quero tanto...

Ele fechou os olhos tentando manter o controle. Estava a ponto de tirar a roupa dela e amá-la pelo resto da tarde, mas tinha muito que fazer.

— Não há tempo agora... mas hoje à noite. Ah, hoje à noite...

— Você não virá...

Ela tentou sair do colo dele, mas as mãos grandes a mantiveram no lugar.

— Escuta, Babi... Eu juro, não quis te magoar. Entende isso? Não achei que estava passando um monte de besteiras dentro dessa cabecinha.

— Preciso de você, Alan. Não sei se vou aguentar isso por mais tempo.

— Eu estou aqui. Para você, por você. E vamos passar por isso juntos. Está perto do fim, neném. Estamos sentindo isso. Temos faro, temos instinto com esse tipo de negócio... Tá muito perto de tudo acabar.

— Por favor, me diz quem são vocês. São policiais, não são?

Ele colocou um dedo na boca dela, negando com a cabeça.

— Apenas confie em mim. Confie que eu vou te manter segura.

— Vai me devolver meu irmão?

Ele assentiu. Não sabia como iria cumprir isso, mas tinha que dar a ela esperanças para continuar. Se Babi desistisse agora, seria o fim. Não apenas da operação, mas o fim dela, e ele sentia calafrios de pensar que ela pudesse fazer alguma besteira.

— Diga, Alan, preciso ouvir. Preciso da promessa.

Murilo respirou fundo e disse.

— Eu prometo.

Babi fez um som de gratidão com as palavras dele e se atirou em seus braços. Murilo não teve tempo de dizer nada, de fazer nada, e ela já tinha tirado sua velha camiseta de dormir. A visão dos seios empinados, firmes e suculentos foi a perdição dele.

— Foda-se o trabalho. Eu te quero, agora, aqui.

Ele puxou da cama um travesseiro macio e apoiou a cabeça dela no chão. Seu corpo cobriu o dela, suas mãos massagearam os seios fartos e ele se deixou perder em suas emoções. Ela era linda, perfeita e dele. Toda sua, para saboreá-la, para amá-la, para satisfazê-la. Nunca lhe diria não. Precisava dela totalmente ligada a ele para que, quando tudo terminasse, ela pudesse lhe perdoar, e não associasse sua imagem com a do filho da puta traidor do Dan.

Em segundos, eles estavam pelados, e não havia nenhum pedacinho dela que ele não estivesse beijando, acariciando e se deliciando.

Murilo mordiscou os seios, o pescoço, o clitóris. Ele a lambeu, sugou e a fez gritar seu nome vezes e vezes seguidas. Depois a guiou para que sua boca linda o chupasse até que estava envolto em um êxtase tão louco e absoluto que nada poderia ser descrito como melhor ou mais maravilhoso que aquilo.

— Ah, neném... minha neném perfeita... sua boca me deixa fora de mim...

Ele estocava fundo, com firmeza, e ela o devorava com gula, fazendo-o delirar.

Murilo se permitiu esquecer que tinha uma equipe inteira, incluindo seu chefe, do lado de fora do quarto. Naquele momento, era apenas ele e ela. Apenas sussurros, sensações, mãos e bocas. Era apenas a paixão ardente e a loucura dos seus corpos sedentos. Ela era a mulher de seus sonhos e quisera Deus que ele fosse o homem por quem ela tinha ansiado, porque não havia uma chance de ele deixá-la ir quando essa merda de operação estivesse terminada. O que estava sentindo era inédito e queria viver cada maldito segundo de sua vida com esse sentimento.

Quando terminaram, Babi se emaranhou no corpo quente daquele homem grande e todo escultural. Seus olhos estavam pesados e ela sorriu. Podia existir o paraíso dentro do inferno? Sim, podia. Se não estivesse no meio de um fogo cruzado, Alan seria seu sonho realizado. Mas ele tinha prometido lhe trazer o irmão de volta, protegê-la e, por algum motivo, confiava muito na promessa dele.

Sim, quando tudo terminasse, ela viveria seu conto de fadas com ele. Babi adormeceu nos braços do agente. Murilo ficou observando seu rosto sereno, bem-feito e muito satisfeito, e rezou baixinho para conseguir cumprir sua promessa.

# CAPÍTULO 14

**"A excessiva atenção que se presta ao perigo faz com que muitas vezes nele se caia."**

**Jean de La Fontaine**

Duas semanas mais tarde, de repente, Babi acordou no meio da noite um pouco agitada. Murilo ainda dormia profundamente. A casa estava silenciosa. Era muito cedo ainda. Ela tomou um banho rápido e foi para a cozinha — seu corpo já pedia seu abençoado café. Ela checou suas mensagens e encontrou uma de Laura e outras de Will. O amigo parecia aflito e ela olhou a hora em que as mensagens haviam sido enviadas. Uma delas há menos de uma hora.

"Babi, me liga assim que pegar essa mensagem. É urgente."

Mesmo sendo quatro horas da manhã, ela discou o número dele e o amigo atendeu no primeiro toque.

— Docinho, graças a Deus. Está tudo bem? Como estão as coisas?

— Um pouco complicadas ainda. O que aconteceu, Will?

— Você está bem?

— Sim. Você pareceu um pouco aflito nas mensagens.

— Bom, tenho que te falar uma coisa. Estou sendo seguido.

— Como assim?

— Seguido. Dou uns passinhos e alguém se move em minha direção. Eu paro e a pessoa para.

— Desde quando isso?

— Dois dias desde que me dei conta.

— Está louco, Will? Por que não me ligou? Sabe que tenho uma situação caótica no momento.

— Você, docinho, não eu. E também não queria causar preocupação.

— Mas você é meu melhor amigo. Todos sabem disso. Podem estar tentando te intimidar para me dar algum tipo de aviso.

— Ai, Deus, não me assuste, Babi. Posso jurar que teve alguém forçando minha porta essa madrugada. Quase me borrei nas calças.

— Estou falando sério. Arrume umas mudas de roupas e venha pra cá.

— Ai, docinho, e se alguém estiver esperando por mim do lado de fora? Não saio daqui nem por um pau grande e suculento.

— Tem razão. Espere por mim aí. Eu vou te buscar, daí você pode ficar aqui.

— Tá. Traz o cabeludo grandão com você. O tal do Mike faz mais meu tipo, e vou me sentir uma donzela salva pelo príncipe.

— Vou sozinha. Os caras estão dormindo ainda. Não vou incomodar nenhum deles.

— De jeito nenhum. E se alguma coisa acontecer a você? O gaúcho gostoso não vai ficar feliz com isso.

— Não tem perigo. Pego um táxi aqui na portaria e paro em frente à sua casa. Eu vou ficar atenta.

— Não gosto desse plano. Onde está o Alan?

— Dormindo. Ele está cansado, não vou acordá-lo. Anda logo, Will, estarei aí em meia hora.

Ela desligou, entrou no quarto silenciosamente, pegou sua bolsa, passou-a pelos ombros e saiu do apartamento. Estava escuro. Babi só se deu conta de que a madrugada não era sua aliada quando já estava na calçada. Embora um pouco apreensiva, ela seguiu em frente. Will morava do outro lado da cidade, estava sozinho e em perigo. Ela pegou um táxi e foi encontrar seu amigo.

O prédio de Will não tinha porteiro, era daqueles que digitava o código para o portão abrir. Babi sabia o código de cor e apertou os botões rapidamente. Em minutos, ela estava tocando a campainha da porta dele.

O rapaz tinha uma mochila e parecia um pouco assustado. Ela nem entrou.

— Vamos. Pedi para o táxi esperar.

Eles desceram, mas quando estavam na calçada não avistaram o táxi que ela tinha pedido para aguardar. O desgraçado do motorista não esperou

— ou tinha sido pago para ir embora, o que era mais provável. Do outro lado da rua, dois caras os observavam e um deles falava ao celular. De repente, vieram na direção deles, mas tiveram que esperar um carro passar, e isso deu aos amigos alguma vantagem de distância.

— Corre, Babi.

Will a puxou pela mão e eles correram pelas ruas desertas. Um carro cantou pneu na esquina e virou na contramão, parando de frente para eles.

Os amigos pularam os canteiros e os bancos da praça para cortarem caminho. Will olhou para trás e viu os caras bem no encalço deles.

— Docinho, liga para a polícia. Pede socorro.

Ainda correndo, Babi tirou seu celular da bolsa e fez a discagem. A voz da policial era calma quando lhe deu bom dia.

— Preciso de socorro, estou nos arredores do shopping da Penha. Tem dois elementos correndo atrás de mim.

— Já estamos acionando a viatura mais próxima para checar.

Babi tropeçou, não tinha mais ar. Will segurou-a pela cintura.

— Vem, Babi, não para.

— Não consigo mais.

O telefone dela começou a tocar. Ela tinha esquecido que seu número era compartilhado com o celular dos agentes. Nunca pensou que fosse gostar disso, mas estava agradecida.

Ela não tinha forças para atender. Will o fez por ela.

— Babi?

— É o Will, estamos em apuros. Manda ajuda.

— Já localizamos a área, chamamos a polícia para chegar até vocês mais rápido. Presta atenção, Wil, não deixe que a levem. Morra se for preciso, mas não deixe que a levem.

— Vou tentar.

Os homens os alcançaram e o celular dela voou longe. O primeiro agarrou Babi pelas costas. Ela se debateu freneticamente e quase conseguiu escapar. O segundo começou uma briga de punhos com Will.

Will era magro, mas era alto e tinha força. Seu jeito afeminado muitas vezes não transparecia sua capacidade para se defender. Um carro parou ao lado de Babi e ela foi jogada para dentro. A sirene da polícia soou e o homem que brigava com Will saiu correndo.

O amigo de Babi tinha alguns cortes pelo rosto e, assim que o policial desceu, ele gritou desesperado.

— Eu estou bem, mas eles pegaram minha amiga. Sigam aquele carro.

O policial arrancou com a viatura. Will rapidamente juntou os pedaços do celular de Babi e discou.

— Babi.

— Eles a levaram, Alan. Desculpa. Desculpa. A culpa foi minha. Foi toda minha.

— Porra, Will, o que vocês estavam fazendo às quatro da manhã na rua?

— Foi tudo minha culpa. Desculpa.

— Pega a merda de um táxi e vem pra cá.

Will ia ser esfolado vivo pelos deuses gregos, mas não importava, esperava que a polícia pudesse alcançar seu docinho e que ela ficasse bem. Ele tremia descontroladamente e tinha o coração na boca. Pegou um táxi e foi até o apartamento dos homens que iriam tirar seu couro vivo.

— Ah, meu Deus, estou encrencado. Muito, muito encrencado.

A porta se abriu e Will foi puxado para dentro pelo colarinho. Ele sentiu seu corpo se chocar contra alguém, e, no instante seguinte, Murilo quase arrebentou sua cabeça na parede. Dizer que o homem estava nervoso era um eufemismo, ele estava descontrolado. Seu rosto era uma massa carrancuda, tensa, vermelha e com as veias do pescoço saltadas.

— Caralho! O que você fez, porra?

O antebraço de Murilo apertava o pescoço de Will, sufocando-o e impedindo-o de pronunciar qualquer palavra. Will sentiu que iria morrer naquele instante. Ramon segurou o colega pelos ombros.

— Calma, campeão. Fica calmo.

O agente soltou o rapaz e se afastou, passando as mãos pelo cabelo num gesto de intenso nervosismo. A voz dele era um grunhido furioso quando perguntou:

— Que merda vocês dois estavam fazendo na rua de madrugada?

Um pouco transtornado, Will contou a história toda.

— Alan, eu juro, eu não tive a intenção de fazer com que ela saísse correndo às quatro da manhã. Fiquei assustado e agi sem pensar. Pedi para ela te acordar, mas ela se recusou. Achou que ia ser uma coisa simples. Ela pediu para o táxi esperar, mas o carro foi embora.

Sam falou consigo mesmo, mas todos ouviram:

— Boa menina, está usando o piercing com o rastreador.

O agente especializado em tecnologia anunciou aos demais:

— Peguei o sinal.

Dylan tinha dado uma série de telefonemas e entrou em ação, coordenando o grupo.

— Temos o apoio dos federais. Assim que os homens de Julián pararem, saberemos onde eles estão e vamos buscar Babi. Provavelmente ele a levará para uma base que descobrimos que ele mantém secretamente na fronteira da Colômbia com a floresta Amazônica. Com o rastreador nos dando a localização exata, esta será nossa chance de finalmente invadirmos o armazém das drogas.

Murilo andava de um lado para o outro repetindo mentalmente que ela ia ficar bem, que ela ia estar segura e que eles chegariam a tempo.

Will estava assustado demais. Ele ouviu o chefe dizer "federais" e concluiu que esses caras eram agentes. Menos mal. Se eram agentes, então Babi estava com os bandidos, e isso era muito ruim. Péssimo.

Murilo olhou para ele e apontou o dedo de forma ameaçadora.

— Se alguma coisa acontecer com ela... por Deus, Will, se eles a machucarem, você pode começar a rezar, porque eu vou te matar. Eu juro que eu te mato.

Dylan tentou controlar seu funcionário com austeridade.

— Agente Marconi. Basta.

Sam interrompeu os homens:

— Eles estão em uma pequena pista de voo doméstico. Vão movê-la em algum avião particular.

Dylan concordou com a cabeça.

— Como esperado. Ele deve estar levando-a para o armazém do cartel. Estejam preparados para partir em meia hora.

Os agentes se movimentaram e checaram suas armas. Will arregalou os olhos quando viu cada um deles com mochilas superequipadas com armamento de última geração.

Ele ficou observando os agentes e os viu colocando as pistolas nas jaquetas, dentro das botas, atrás das costas, alocando facas na cintura e munição em todas as partes do corpo. Observou também alguns equipamentos que ele jurou nunca ter visto antes na vida. Diversos comunicadores apareciam pelo corpo dos homens, ligados a pequenos monitores de localização, radares e rastreadores. Era quase uma sequência do filme do Rambo, e o rapaz achou que aquilo era muito assustador. Ele esbugalhou os olhos quando Murilo veio até ele e lhe deu uma ordem seca e raivosa:

— Você fica aqui de olho nos monitores e com a porra do celular em mãos. Fique atento a qualquer movimento diferente e me avise imediatamente. Não toque em botão algum de nenhum equipamento porque você pode fazer com que a gente perca o sinal com eles.

— Tu-tudo bem.

Os homens saíram, e Will fechou a porta quando esteve certo de que realmente estava sozinho. Ele soltou o ar e teve um surto momentâneo, gritando e se descabelando. Em seguida, fechou os olhos e colocou a mão no peito dramaticamente.

— Preciso de uma bebida.

Encheu um copo de uísque puro e sem gelo e se sentou em frente aos monitores. Sua mão segurava firmemente o celular e ele repetia um mantra:

— Vai ficar tudo bem. Vai ficar tudo bem. Vai ficar tudo bem. Vai ficar tudo bem...

Uma hora depois, Babi estava dentro de um avião muito chique e requintado com Dan sentado de frente para ela. Ele sorriu satisfeito.

— Foi mais fácil do que previmos. Nem precisei de tanto esforço para ter você comigo. Nosso informante nos disse da afeição que você tem pela bicha louca e nos certificamos de que, se algo acontecesse na festa, ainda assim teríamos acesso a você através dele. Pessoas prevenidas estão sempre à frente, amor.

Babi permaneceu muda.

— Boa coisa ter assustado seu amigo.

Babi olhou pela janela. Alan estaria furioso com ela. Os outros caras também. Ela tinha estragado tudo saindo de casa sozinha. Dan se levantou e veio se sentar ao seu lado. Ela se remexeu, incomodada.

Ele a puxou para que olhasse para ele, segurou seu rosto e fez pressão para que ela não desviasse seus olhos.

— Não suporta que eu te toque, não é? Suportaria que outro homem a tivesse?

— Nenhum homem vai me ter.

Ele a soltou.

— Julián tem interesse pessoal em você, amor. Se estiver comigo, ele vai respeitar. Se achar que está sozinha, vai tomá-la à força.

Um arrepio passou por sua espinha, e seu coração começou a martelar furiosamente no peito. Estava em apuros.

— Eu não disse que estava sozinha.

— O quê? Acha que sua relação com aquela Laura vai ser considerada?

— Você a conhece?

— Sei tudo sobre sua vida, suas relações. Nunca me ausentei totalmente, amor. Apenas não podia aparecer.

— Por que não me deixa em paz?

Ele estreitou os olhos. Sua voz mansa e baixa continha uma advertência sutil, mas bastante clara:

— Babi, preste atenção. Para onde você está indo, dificilmente sairá um dia com vida. Deixe seu maldito orgulho de lado e siga minhas instruções. Vou dizer a Julián que você está comigo e você vai estar. Isso vai protegê-la. Vai te manter viva e com certo conforto. Tudo o que tem que fazer é continuar decodificando as mensagens e ser minha mulher nas horas vagas. Julián é um desgraçado frio e sem escrúpulos, mas tem respeito pelos seus homens e eu sou o braço direito dele. Ele nunca colocará um dedo em você se souber que estamos juntos, mas não podemos tentar enganá-lo e fingir essa situação. Ela tem que ser real.

— Eu prefiro morrer.

— A morte seria boa demais para alguém na sua posição, amor. Ele faria pior, muito pior. Acredite: você seria um playground divertido para todo o alto escalão.

Ela engoliu em seco e sentiu suas pernas tremerem. Dan continuou:

— Quando chegarmos, vou levá-la para a minha suíte. Você vai ficar lá e vai dormir comigo para cimentarmos nossa relação. Assim, estará em segurança. Tente fazer algo diferente e vai virar uma boneca sexual de toda a tropa. Você escolhe.

— Você sempre esteve com ele? Foi isso que escolheu ao invés de mim?

Ele passou o dedo indicador com suavidade pelo rosto bonito e abatido dela.

— O que você queria? Uma vida cheia de filhos, dívidas e financiamentos para pagar? Eu queria mais do que isso, Babi. Hoje eu tenho dinheiro, conforto, prestígio entre meus homens. Posso te dar uma vida confortável agora.

— Foi sempre uma farsa?

— Nem sempre. Julián te descobriu através dos jogos on-line, mas precisava esperar que fosse maior de idade. Você estava sendo assistida pelas instituições por ser órfã. Se sumisse com você ou te assediasse, o conselho tutelar e todas essas merdas de órgãos públicos cairiam sobre sua imagem e isso poderia repercutir na mídia e tal.

— Então ele colocou você na minha vida.

— Sim. Eu estava há algum tempo nos negócios já. Era mais velho e fazia seu tipo.

— Tudo milimetricamente pensado para funcionar.

— Sim, e funcionou. Ele estava terminando de negociar a nova rota que o colocaria dentro dos Estados Unidos, e já tinha sido avisado que os facilitadores não podiam ser identificados de forma alguma e as mensagens seriam codificadas.

— Assim, foram dois anos que você manteve um olho em mim enquanto a coisa toda era arrumada.

— Sim. — Ele sorriu irônico. — Mas eu desfrutei, amor. Realmente apreciei estar com você durante esse tempo. Só não podia ter uma criança envolvida nisso.

— Você é um assassino, Dan. Matou seu próprio filho.

Houve um silêncio constrangedor.

— Posso ter lhe feito muito mal, Babi, mas te ajudei também e você nem sabe.

— Não posso imaginar como.

— Julián queria mantê-la em cativeiro. Seria simples e eficaz. Eu o convenci a deixá-la livre.

— Grande coisa! Em troca da vida do meu irmão.

— Você teria sido abusada lá dentro. Teria virado uma escrava sexual, e Tiago não. Na época, eu não tinha a posição que tenho hoje, não teria conseguido impedir que Julián a usasse da maneira que ele quisesse. Hoje sou respeitado, minha ordem é obedecida. Ninguém vai machucá-la.

— Vão libertar Tiago?

— Posso negociar isso com o tempo.

Ela assentiu. Pelo irmão, valeria a pena. Ele tinha perdido muito tempo da sua vida sendo prisioneiro.

— Ele está bem, Dan?

— Sim. Ele sobreviveu, amor. É um garoto forte.

Babi ficou em silêncio. Depois de muitos minutos, voltou a falar.

— Você nunca sentiu remorso? Nunca se arrependeu?

— Não tente encontrar nada de bom em mim, vai se decepcionar ainda mais.

Ele se levantou e voltou para sua poltrona. Ela fechou os olhos e rezou. Rezou para que o microchip dentro do piercing que usava no umbigo estivesse funcionando e que Alan pudesse ajudá-la.

O voo durou cerca de três horas, pelas suas contas. Eles desceram em um hangar coberto, onde o avião de pequeno porte não ficava visível. Um jipe moderno esperava por eles e tomou um caminho por entre a mata.

Dan fez algumas ligações falando castelhano e Babi sabia que ele estava dando sua localização e alguma satisfação a Julián.

Quarenta minutos depois, entraram no que parecia um enorme acampamento, com tendas e barracas verdes e camufladas entre as copas das árvores. Adentrando a mata um pouco mais, havia um galpão muito grande no qual dois caminhões que pareciam ser do exército estavam estacionados.

Dan pegou na mão dela. Babi tentou soltar, mas ele entrelaçou seus dedos firmemente, sussurrando apenas para ela:

— Lembre-se do que te falei.

Babi achou que não tinha muita opção, a menos que desejasse virar comida de peixe grande até que algum socorro chegasse, porque ela tinha certeza de que Alan e os caras a encontrariam. Tinha fé que sim.

Eles passaram por várias pilhas de carregamento de drogas e ela ficou pasma ao ver como o crime organizado era de fato muito organizado. Parecia um depósito de uma multinacional e não de um produto ilegal.

Na parte de trás do armazém, eles desceram por uns degraus e Dan abriu uma porta, digitando uns códigos complicados. Quando Babi achou que nada mais a surpreenderia, ficou ainda mais de boca aberta.

Ali estava uma acomodação subterrânea e luxuosa que ninguém jamais podia imaginar que havia ali dentro.

— Gostou?

Dan viu a surpresa nos olhos dela. Por um instante, ele desejou intimamente que ela pudesse compreender a vida que ele tinha escolhido e ficasse feliz por estar ali com ele. Uma ilusão, ele sabia. Mas um homem podia sonhar, não podia?

Ela olhou à sua volta. Uma sala de estar, uma cozinha muito bem equipada e um corredor que deveria dar para os quartos e banheiros.

— Sente-se, amor. Julián estará aqui em alguns minutos.

A moça foi até a sala e ele a acompanhou. Ele estava muito perto dela. Babi podia sentir a presença dele às suas costas. Dan a segurou levemente, subindo e descendo suas mãos ao longo dos braços dela.

— Você está nervosa.

A voz dele em seu ouvido lhe causou náuseas. Ela tentou se distanciar, mas ele a segurou.

— Quando o chefe chegar, vai observar seu comportamento comigo. Seja boazinha, Babi.

Ele a virou para que ficassem de frente.

— Agora, eu quero que me beije.

— Jamais.

Ele a puxou com um pouco de raiva para mais perto do seu corpo.

— Merda, Babi! Não vou conseguir protegê-la aqui se você não colaborar.

Ela olhou-o assustada.

— Dan, por favor, não me obrigue.

— Amor, já nos beijamos muitas vezes, não será nenhum sacrifício.

Ele a envolveu com seus braços e ela tentou afastar seu rosto o quanto pôde. O homem ficou bravo.

— Me beija, porra.

Ele segurou o rosto dela e forçou o beijo por entre os lábios. Babi fazia força para se soltar, mas a pressão da mão dele no pescoço dela era forte. A pequena decodificadora se debateu e ele aumentou a pressão, machucando ligeiramente a boca dela. Era um aviso do que aconteceria se ela resistisse, mas Babi preferia morrer a ceder.

Dan não estava preparado para o que sentiu. Ele tinha sido um canalha com ela. Fora cruel e desumano, mas a tinha amado. As lembranças da vida que um dia partilharam nunca tinham deixado sua mente.

Sempre que dormia com alguma mulher, era o rosto dela que imaginava, e suas fantasias mais ocultas eram sempre com ela. Por mais que estivesse resistindo ao beijo, sentir a boca dela na sua tinha despertado nele um desejo faminto de tê-la em sua cama de novo.

Ele podia se lembrar de como ela era macia e carinhosa, e de como um dia ela foi muito apaixonada por ele. Dan a segurava com força excessiva, por isso se afastou um pouco para poder falar. Sua voz estava rouca e ameaçadora.

— Abra a boca e me beije agora.

— Não.

Conseguindo virar o rosto, a garota se desvencilhou temporariamente do beijo forçado.

— Não importa, há outros lugares para beijar.

Dizendo isso, ele virou bruscamente o rosto dela e passou a beijar seu pescoço, enquanto esfregava sua excitação evidente no quadril que ele mantinha à força encostado no seu.

Julián entrou na sala e fez um barulho com a garganta para ser notado. Dan a largou devagar, nunca quebrando o contato visual com ela.

Babi tentou se recompor e tomou alguns passos de distância. Estava ofegante e cheia de medo. Ela encarou o colombiano parado na frente deles e se espantou. Não sabia exatamente o que esperava ver, talvez um homem velho e do tipo mafioso, como costumava assistir nos filmes, mas o que enxergava era uma pessoa relativamente jovem e muito bonita.

O sotaque castelhano estava divertido quando os interrompeu, para alívio dela. Quando seus olhos se encontraram, ela sustentou o olhar por uns segundos antes de desviar.

O desgraçado era lindo, por volta dos trinta e tantos anos e podia trabalhar como um sósia do Gianecchini, se quisesse. Os cabelos eram longos e repicados na altura do ombro. O sorriso muito branco e brincalhão, e a voz, ela reconheceu, era a mesma que falava com ela pelo celular.

O tempo todo ela estivera em contato direto com o chefão das drogas e nunca soube. Dan fez as apresentações e o homem estendeu a mão cordialmente.

Ele arriscava um português carregado, embora soubesse que ela estava apta a compreender o castelhano.

— Finalmente nos encontramos.

Ela cumprimentou-o com um aceno de cabeça e olhou para a mão estendida. Não ia se fazer de rogada. Esse homem mantinha seu irmão cativo há mais de um ano e ela trabalhando de graça para ele sob ameaça constante. Ele tinha acabado com a vida dela e nada faria com que ela desse a mão a ele e o cumprimentasse como se fossem bons amigos.

O traficante a fitou profundamente e recolheu a mão. Passou os olhos pelo corpo bem-feito e voltou a encarar o rosto da garota. O chefão agora estava sério e silencioso. Dan achou melhor dar alguma explicação.

— Ela está um pouco assustada, Julián.

Julián assentiu e olhou de um para o outro.

— Vejo que já fez sua reivindicação, Dan.

Dan sorriu e, olhando diretamente nos olhos de Babi, acrescentou:

— De algo que nunca deixou de ser meu.

Julián olhou de um para outro. Dan era o melhor braço direito que ele poderia ter encontrado. Nunca questionava uma ordem, atirava e pronto. Havia colocado sua vida em risco por ele muitas vezes e jamais recuara, acatava suas decisões e mantinha a produção da coca organizada e sem falhas. Ele era durão com os caras, cuidadoso com os negócios e tinha deixado sua vida pessoal para trás sem pestanejar quando Julián pediu que ele cuidasse do armazém do cartel pessoalmente.

Mas ele sabia que a garota tinha alcançado o coração do seu homem e nunca tinha saído de lá. Julián se lembrava com clareza que Dan teve um surto de ciúmes quando ele infiltrou Laura na vida da decodificadora, e esta tinha sido a primeira e única vez que eles discutiram.

Laura ficou entusiasmada com a possibilidade de ter uma relação com Babi, e Dan atirou ameaças para todos os lados em uma crise de posse. Em outras palavras, Babi tinha uma amarra no coração de Dan. Isso era perigoso.

Uma paixão por uma garota linda como a que estava olhando para ele com olhos assustados podia virar a cabeça de um homem e interferir em seus negócios. Dan estava tomando à força alguém que não o amava mais e com certeza isso traria problemas para o cartel.

Julián sabia que o medo do seu assistente era de que ele próprio ou outros ali dentro pudessem querer se divertir com a garota, o que seria compreensível, uma vez que ela era toda perfeitinha. Facilmente um homem cairia nos encantos sexuais que ela poderia oferecer, ainda que não fosse de boa vontade.

O que Dan não sabia era que a garota tinha se livrado de Laura para ficar com um dos caras que invadiu a casa dela várias semanas atrás. Julián tinha recebido um relatório da informante pela manhã relatando o ocorrido. O colombiano teria que pensar em como a situação se encaixaria dentro da rotina do cartel.

Não podia e não queria perder a lealdade de Dan. Teria que deixá-lo cuidar da garota por ora e advertir os outros caras de que ela era zona proibida, por enquanto. Quem quer que fossem os homens que invadiram a casa dela e a tiraram do bar na noite do coquetel, eles não a encontrariam ali.

Assim, o traficante tinha um tempo para observar o andamento das coisas antes de se decidir sobre a decodificadora. Ele sorriu para Dan quando falou:

— Não se preocupe, amigo. Correrá uma ordem de que a garota tem dono e não deve ser incomodada.

— Obrigado.

Julián queria ver o quanto Dan podia ser tolerante dentro dessa situação. Assim, aproximou-se de Babi, correu as mãos pelos cabelos bonitos e longos dela e depois deixou seu dedo indicador contornar seu rosto. Os olhos a comiam descaradamente e a sua mão espalmou o pescoço dela, passeando pelo ombro e escorregando levemente até o bico do seio, onde ele fez uma pequena carícia.

Babi ofegou de medo e deu um passo para trás. Dan se remexeu, incomodado com a exploração íntima que Julián estava fazendo, mas se conteve.

O traficante sorriu.

— Posso ver porque a deseja. É uma beleza de mulher.

— É minha, Julián.

Mesmo sendo seu chefe, ele teria que manter distância. Dan esteve longe dela por quatro malditos anos e nunca a esqueceu. Agora que ela era uma realidade, ali, em pé, diante dele, nem mesmo o poderoso lorde das drogas iria impedi-lo de tê-la de volta. E não havia chance alguma de compartilhar Babi com alguém mais. Julián sorriu simpático.

— Eu sei. Já entendi.

O chefão se virou para sair. Babi o chamou de volta, surpreendendo os dois homens ali.

— Julián?

— Sí?

— Poderia permitir que eu veja meu irmão?

Ousada e corajosa. Sim, Julián gostou dela. As fotos que viu não fizeram jus à beleza real, e os relatórios que leu não o prepararam para a meiguice na voz dela, tampouco para a determinação que ostentava inconscientemente no rosto.

— Por que eu deveria? Você não foi capaz sequer de me cumprimentar decentemente.

— Por favor.

Ele se virou e a olhou nos olhos. Um homem podia se perder naqueles olhos. Pareciam olhos de anjo, doces e quase inocentes.

— Leve-a para vê-lo, Dan. Mas não os deixe sozinhos.

— Tudo bem.

Babi mal podia acreditar que iria ver Tiago. Há mais de um ano não via o irmão. Sua respiração se alterou e ela olhou para Dan, suplicante.

— Vamos.

Julián foi na frente. Do lado de fora, dois seguranças tamanho quatro por quatro saíram logo atrás dele. Dan tomou um caminho diferente. Em poucos minutos de caminhada, eles entraram em um alojamento onde algumas pessoas trabalhavam empacotando a droga. Elas usavam uma roupa de brim marrom, como os uniformes padronizados para identificar os prisioneiros. Alguns homens armados andavam pelo local e acenaram respeitosamente para Dan.

Os caras sorriram ao vê-la. Talvez achassem que ela era carne nova no pedaço e se sentissem entusiasmados. Babi se encolheu de medo e Dan passou o braço pelos ombros dela num recado mudo de posse, o que fez com que os homens não a olhassem mais.

Babi podia ver que o antigo namorado era mesmo respeitado e temido por ali. Não queria nem imaginar como ele tinha conseguido alcançar esse prestígio dentro de um cartel de drogas.

Dan parou perto de uma bancada onde três garotos trabalhavam de cabeça baixa. Ela mal reconheceu o irmão. Devia estar uns dez quilos mais magro, tinha a pele muito queimada do sol e os cabelos, compridos e mal cortados. Seu rosto tinha covas profundas de alguém que não se alimentava direito e olheiras escuras de quem não dormia uma noite inteira há séculos. Era nítido que ele não tivera um tratamento decente ali.

O coração de Babi minguou de dor, de raiva, de compaixão. Ela tinha um nó na garganta e os olhos, muito rasos d'água. Sua respiração estava alterada e suas mãos tremiam sem parar. Os meninos ergueram a cabeça, atraídos pelas duas figuras paradas diante deles. Tiago estreitou os olhos raivosos, e, um segundo depois, sua expressão se suavizou diante da imagem da irmã. Ele puxou o ar, nervoso, e abriu a boca espantado quando a reconheceu. Eles correram para se abraçarem.

Ele tinha crescido. Estava muito maior do que ela e a envolveu em um abraço apertado. Babi ouviu o tique das armas se preparando para atirar, mas viu a mão de Dan se erguer enquanto ele dizia aos guardas que estava tudo bem.

— Tata, minha Tata! Ah, meu Deus... O que você está fazendo aqui? Eles a pegaram? Ah, não, não, eles a pegaram!

— Você está vivo, vivo! Pensei que não ia mais te ver.

O menino limpou as lágrimas dela com a mão, que era apenas pele e osso. Dan olhou para eles e, por um segundo, apenas um segundo, Babi pensou ter visto alguma emoção nos olhos frios dele.

— Você está tão magro! E alto!

Ele riu desgostoso. Não era o momento de dizer a ela o inferno em que vivia. Estava feliz por vê-la, mas queria que ela estivesse longe dali. Ele sabia o que acontecia com as garotas que eram trazidas ali. Não queria isso para ela.

— Tata, você tem que ir embora daqui.

— Está tudo bem.

O menino olhou para Dan com ódio e rancor.

— Você está louco? Não acredito que vai fazer isso com ela.

Babi sentiu o aperto protetor do irmão sobre ela. Dan não respondeu ao garoto, falou direto com ela.

— Vamos embora, Babi, você já o viu. Sabe que ele está bem. Aqui não é lugar para você.

— Por favor, só mais uns minutos. Por favor, Dan.

*Merda, ele estava caminhando para fazer todas as vontades dela*. Dan não tinha ideia de que ia ficar tão mexido com a presença de Babi de volta à sua vida.

Quando a deixou, quatro anos atrás, depois de levá-la a uma clínica de fundo de quintal para abortar o filho deles, achou que podia superar. Era ambicioso e visava ser o segundo no comando do cartel. Na época, era isso que importava e foi o que fez. Nunca imaginou que não fosse nunca mais conseguir dormir uma única noite sem pensar no quanto tinha sido cruel e desumano com a única pessoa que amou na vida.

Tinha esfriado seu coração para que a culpa e o arrependimento não tomassem um espaço maior do que já ocupavam, e, embora tivesse notícias dela e visse algumas fotos de vez em quando, estar frente a frente e ter a possibilidade de ficar novamente ao seu lado tinha tomado uma proporção absurda dentro do peito dele.

Era foda. Ele sabia que Julián estava estudando cada atitude dele e que avaliava o quanto Babi teria influência no seu trabalho. Não podia vacilar, senão as coisas se complicariam. Assim, foi categórico com ela:

— Não. Vamos embora.

Ele pegou no braço dela e a tirou de perto do irmão. Olhou para o garoto e deu uma ordem seca:

— Volte ao trabalho.

Babi viu a ira subir pela feição do irmão e ficou penalizada por ele. Nunca mais seria um adolescente normal. O cativeiro o tinha mudado para sempre.

# CAPÍTULO 15

**"Não devemos ter medo dos confrontos...**
**até os planetas se chocam e do caos nascem as estrelas."**

**Desconhecido**

Ela foi embora olhando para trás, vendo Tiago voltar ao seu trabalho de empacotar a droga. Ela tirou o braço das mãos de Dan bruscamente.

— Covarde!

Nunca uma palavra doeu tanto nele. Sua expressão endureceu e ele cerrou os punhos. Sabia o quanto o irmão era importante para a garota e, mesmo assim, o manteve ali sem aliviar seu sofrimento. Nunca deveria tê-la trazido. Nunca deveria ter ido àquele maldito bar e colocado os olhos nela novamente.

Tudo que ele queria agora era arrancar-lhe a roupa, se enfiar dentro dela e bombear seu pau no interior macio e úmido até se saciar. Talvez ele fosse um covarde mesmo.

Julián observava pelo monitor a decodificadora abraçada ao irmão. Por um momento, lembrou de sua própria irmã. A única pessoa que o amou de verdade sem esperar nada em troca.

Anahí entrou na sala e olhou para a tela.

— Quem é?

— A decodificadora.

A moça se aproximou, curiosa.

— O que ela faz aqui?

— Eu a quero por perto agora.

A assistente ergueu as sobrancelhas, intrigada. O tom de voz de Julián era de interesse e ela poucas vezes o viu usar esse tom de voz para os negócios.

— Vou providenciar uma roupa das *chicas* para ela e colocarei uma cama extra no quarto de uma delas.

— Ela não é uma delas e não está aqui para esse fim.

— É que eu pensei...

— Pensou errado. Ela está com Dan e será acomodada na suíte dele, por enquanto.

— Tudo bem.

Anahí podia dizer que Julián estava mais interessado na garota do que deixava transparecer. Ela olhou de volta para o monitor, de onde ele nunca desviou os olhos. O homem passava o dedo indicador pelo lábio superior numa carícia despercebida.

Ela o conhecia bem, e quando ele fazia isso era porque estava tramando algo.

— Arrume roupas para o garoto chamado Tiago da mesa seis. Quero que o vista com roupas boas e caras, e tênis também. Cortem o cabelo dele de maneira que fique com um aspecto melhor. Transfira-o para o quarto de hóspedes da minha suíte e alimente-o com boa e abundante comida. Deixe-o descansar por hoje.

— Tudo isso para um refém?

— Faça-o, Ana, mas antes peça ao Cadú que me traga todas as imagens recolhidas do bar onde nossa ilustre visitante costumava trabalhar.

— Pode deixar.

Uma hora depois, Dan entrou na sala de reunião onde o som de uma música animada vinha de um vídeo que passava na imensa tela de projeção.

Dan olhou para as acrobacias que Babi fazia com os copos e garrafas enquanto sorria lindamente atendendo aos clientes.

— O que você está procurando no vídeo?

— Nesse, em particular, nada. Estou apenas apreciando a habilidade dela em preparar os drinks.

Julián apertou um botão e mudou o vídeo.

— Agora, neste aqui, temos algo.

Era o vídeo da festa. Dan sentou-se ao lado de Julián e foi apontando os caras, explicando o que tinha acontecido durante o evento; a conversa com Dylan; e a maneira como eles tiraram Babi do lugar de forma rápida e eficaz. Laura tinha entrado no bar sorrateiramente naquela noite e copiado as imagens para enviar a eles.

— Veja esse cara.

A imagem de Murilo com a arma esticada para as costas do segurança de Dan apareceu, seguida de muitas outras, na área VIP, próximo ao espaço de dança, em várias posições dentro do bar.

— Alguma coisa em especial sobre ele?

— Sim. Observe os olhos. Sempre observando Babi e cuidando dela. Eles estão juntos.

— Como? Não. Ela estava com a Laura.

— Ela nunca esteve com a Laura, você sabe disso. Nossa informante não foi competente o suficiente para envolver sua garota em uma relação de fato.

— Não vou dizer que lamento, mas, até onde sei, elas estavam sempre juntas.

— Engana-se, meu caro. Esse homem fez a nossa garota inteligente dar um chute no traseiro da Laura uma semana atrás.

— Tem certeza?

— Sim. Traga-a até mim, na minha suíte. Quero falar com ela e saber o que ocorreu dentro do apartamento onde eles a mantiveram nos últimos dias. Meu faro não me engana, Dan. Eles são homens da lei, e não meus concorrentes. O facilitador não foi claro quanto a isso, mas ele sabe. Deve ter tomado providências por conta própria, já que os intrusos são possivelmente norte-americanos. Eu posso ver que são policiais.

Dan concordou em silêncio, levantou-se para falar com Babi e fazer algumas recomendações. Julián podia ser muito agressivo em seus interrogatórios. Ela teria que tomar um caminho cauteloso se quisesse sair intacta.

Quase ao anoitecer, Babi entrou na suíte do traficante. Se fosse em outra situação, ela teria ficado deslumbrada de ver como ele podia estar bem acomodado no meio de uma floresta. Havia uma mesa bonita e muito requintada arrumada para eles. Tiago apareceu, trazido por um dos seguranças.

Parecia outro garoto. Bem-vestido e arrumado, cabelos cortados e um rosto descansado. Ela correu para abraçá-lo. Dan ficou surpreso ao ver o menino ali. Um filho da puta, era isso que Julián era. Estava tentando encantar Babi sendo misericordioso e dando a ela amostras do que podia ser a vida ao lado dele. O sangue do homem ferveu, mas ele se conteve. A coisa ali dentro não era para brincadeira.

Julián apareceu no seu melhor estilo. Era um homem que chamava a atenção das mulheres. Estava vestido com elegância, o corpo bem-cuidado em evidência. Ele olhou para os irmãos abraçados.

— Gosto de ver as pessoas felizes.

Babi soltou o irmão, que permaneceu com os braços sobre o ombro dela. O garoto tinha um ar desconfiado. Julián indicou a mesa, onde eles se sentaram.

O jantar foi servido e mais parecia um banquete. Eles comeram em silêncio. Babi mal tocou a comida. Tiago, ao contrário, devorava tudo como se não comesse há anos.

Julián estava atento a ela.

— Não está com fome?

— Não muita.

— Achei que um jantar bem-preparado podia nos dar a chance de uma conversa honesta em um ambiente mais harmonioso, Babi.

Ela assentiu sem falar nada.

— Quem são os homens que andaram te cercando nas últimas semanas?

— Não sei, eles não me falaram. Apenas me disseram que queriam a rota norte-americana.

— E como chegaram até você?

— Me pegaram na saída do bar, me levaram em um jato particular para os Estados Unidos, me deixaram sem roupa em uma sala gelada, sem comida e sem bebida por dois dias porque acharam que eu já tinha a mensagem decodificada e não queria dar a eles.

Dan observou Julián, que olhava pensativamente para ela. Ele sabia que eles eram estrangeiros, Dan havia lhe informado sobre isso, mas não imaginou que a tinham levado para outro país e não conseguia imaginar o porquê.

— O que mais aconteceu lá?

— Mais nada. Quando se certificaram de que eu não tinha recebido nada, me trouxeram de volta, se instalaram na minha casa e esperaram seu contato me trazer a mensagem.

— Você não devolveu a mensagem decodificada.

— Eles não deixaram.

— Por quê?

— Não sei.

— O que tinha nela?

— Duas rotas diferentes.

— Duas?

— Sim.

Julián pensou que se ela estava dizendo a verdade. As rotas eram falsas, uma vez que o facilitador lhe informou que haveria uma segunda mensagem, que agora ele imaginou que seria a verdadeira.

O norte-americano que negociava com ele secretamente era muito cauteloso. Devia estar preparado e esperando que os homens seguissem a rota falsa. Haveria uma emboscada e isso desviaria a atenção da segunda mensagem que conteria a rota verdadeira.

— Você se mudou do seu apartamento.

— Eles me mudaram.

— Para onde?

— Um lugar na zona sul.

— Lugar bom.

— Sim.

Julián tirou uma foto de Murilo e mostrou a ela.

— Conhece ele?

Ela olhou para a foto e depois para ele.

— Sim. É um deles.

— Norte-americano?

— Não. Brasileiro.

— Nome?

— Alan.

Julián se remexeu, observando-a. As informações condiziam com o que Laura havia lhe contado. Que estranho. Ele pensou que ela mentiria para ganhar tempo, por medo, ou por qualquer outro motivo. O que o colombiano via era que a lealdade dela estava com o irmão. Onde ele estivesse, ela estaria. O menino era a chave do trabalho dela. Dan havia lhe dito isso um dia e ele estava certo.

O traficante continuou seu interrogatório.

— Você tem uma namorada.

Tiago olhou para ela espantado e não se conteve:

— Você tem uma namorada?

Dan riu. Julián também.

— É, rapaz, sua irmã tem uma namorada.

O garoto estava um pouco desconcertado.

— Achei que você frequentasse as baladas gays apenas por diversão.

— Falaremos sobre isso depois, Tiago.

Julián riu da reação do irmão da garota.

— Como fez para explicar para sua namorada sobre esse monte de caras na sua casa?

Babi deu de ombros.

— Inventei histórias.

— Ela acreditou?

— Não muito.

— Há quanto tempo mantém essa relação?

— O que isso tem a ver? Aonde quer chegar?

— Não quero uma namorada dando parte na polícia ou fazendo barulho na internet pelo seu desaparecimento. Preciso saber se vou ter que cuidar dela.

Babi gelou. "Cuidar dela" significava matá-la. Ela respirou fundo, nervosa. Não queria que nada acontecesse a nenhum dos seus amigos.

— Não precisa se preocupar. Não estamos mais juntas.

— Por quê?

— Alan me obrigou a terminar o namoro.

— Que interessante... E por que ele faria isso?

— Porque ele descobriu que Laura é filha de uma pessoa importante que trabalha para o governo e achou que ela podia dar problema para a equipe com a polícia federal ou algo do tipo.

Dan ergueu uma sobrancelha, curioso. Julián raciocinou sobre a resposta da garota. Fazia sentido. Talvez nem mesmo Laura soubesse a verdadeira razão do término do namoro. Para um bando de traficantes, alguém com parentesco dentro de um órgão de segurança pública seria um problema sério.

— E foi o que disse a ela quando terminou a relação?

— Não. Disse a ela que estava saindo com Alan.

Julián agora estava confuso. As informações que Laura tinha dado a ele lhe deram a certeza de que os caras eram da polícia. Talvez federais, ou quem sabe do departamento de combate ao narcotráfico. Agora, ele estava mudando de ideia. Se os homens tinham descoberto o parentesco da moça com o diretor da ABIN e se preocuparam em ter problemas com a lei, isso indicava que eram realmente seus concorrentes. Sinceramente, ele não sabia dizer o que lhe traria mais problemas.

— Querida, por que não vai com seu irmão assistir um pouco de TV no quarto de hóspedes?

Ela se levantou e Tiago a imitou. Antes de sair, porém, tomou uma decisão.

— Julián?

— Sim?

— Se deixar meu irmão ir embora, se deixá-lo livre, eu fico aqui por quanto tempo você quiser e faço qualquer coisa que me pedir.

— Mas isso não é uma proposta, já que você não tem outra escolha a não ser ficar e eu facilmente posso forçá-la a fazer tudo que eu quiser.

— Eu sei, a diferença é que eu faria de boa vontade.

Tiago a abraçou.

— Tata, você está louca? De jeito nenhum! Não!

Julián estreitou os olhos para ela, muito interessado. Garota esperta. Conseguiu captar o interesse dele e estava usando isso para libertar o irmão. Proposta tentadora. Ele inclinou a cabeça, pensativo.

— Qualquer coisa?

Ela concordou.

— Qualquer coisa.

Dan interrompeu-a. Estava furioso com ela.

— Já basta, Babi. Vá para o quarto.

Ela obedeceu e Dan olhou para Julián com olhos fuzilantes. Tinha sido um erro incalculável trazer Babi ao armazém. Devia tê-la deixado escapar e inventado alguma história para acalmar as expectativas do chefe.

A última coisa que Dan poderia tolerar era ver Babi se tornar amante de Julián bem embaixo do nariz dele.

— Sua garota é encantadora, Dan. Inteligente e muito perspicaz. Corajosa também.

— Sem jogos comigo, Julián. Tire os olhos dela. Nós nunca tivemos problemas. Sou leal a você e aos seus negócios, mas não vou abrir mão dela.

— Calma, rapaz. Você está tenso. Não quero discutir assuntos pessoais. Por enquanto.

O homem encarava o assistente desafiadoramente e Dan sustentou seu olhar. As palavras "por enquanto" foram bem claras.

— Vamos mantê-la aqui, junto do irmão, por ora. Ela se sente melhor assim. Vou pedir que Laura vá até o apartamento checar como estão os homens com o sumiço da garota. Precisamos ter uma posição sobre as providências que eles estão tomando para encontrá-la.

Laura tocou a campainha do apartamento e Will deu um pulo na cadeira. Ele esteve diante dos monitores a manhã inteira. Murilo ligou duas vezes para saber se Babi tinha entrado em contato e disse que ele não deveria receber ninguém no apartamento e não desgrudar os olhos da tela, e foi o que o amigo da garota fez.

Ele já estava um pouco tonto dos vários uísques que tinha tomado para tentar se acalmar. O rapaz se levantou e olhou pelo olho mágico. Laura.

Ele respirou aliviado e abriu a porta.

— Will, que droga! Por que demorou tanto para abrir?

— Porque estou em modo tartaruga alcoolizada, florzinha.

— Já tem notícias da Babi?

— Ainda não.

— Nossa, o cara fez um estrago no seu rosto, hein?!

— Ai, Deus! Nem olhei como ficou.

Will correu para o banheiro para ver o rosto no espelho. Ele deu um grito dramático e Laura revirou os olhos. Bicha melindrosa era o que ela pensava que ele era.

Ela olhou os monitores. Os caras tinham o bar, o antigo apartamento e todo o arredor de ambos os locais cobertos por câmeras via satélite. Eram uns malditos federais com certeza, ou algo mais acima.

— Will, morreu aí no banheiro?

— Não.

O tom de voz dele chamou a atenção da moça e a maneira que ele a estava olhando a incomodou.

— O que foi?

— Como você sabia que Babi tinha desaparecido se ninguém te falou?

— Como assim, ninguém me falou?

— Babi foi levada por um estranho. Ela não te ligaria. Eu não te avisei sobre o sequestro e tenho certeza de que Alan também não.

*Merda*. Laura tinha dado um fora e precisaria ser rápida para consertar.

— Claro que o Alan me avisou. Ele me ligou querendo saber se ela tinha entrado em contato comigo.

Will a olhou desconfiado.

— E como sabia que eu tinha apanhado de um cara?

— Porque ele me falou Will, como eu ia saber?

— Que horas ele te ligou?

— Está desconfiando de mim? De mim? Não posso acreditar nisso!

O rapaz pensou rápido. A última coisa que Alan faria seria telefonar para Laura. Ele não sabia por que, mas seu sexto sentido era infalível e algo lhe dizia para não confiar na ex-namorada da amiga. Em especial, neste momento. Ele não fazia ideia do que estava acontecendo de verdade, mas Alan afastou Laura de Babi muito rapidamente e agora ele estava começando a desconfiar de que não tinha sido apenas pelo interesse pessoal do agente nela. Havia algo mais.

— Desculpe, florzinha. Estou uma piiiiilha de nervos.

— Tudo bem. Todos estamos.

Will olhou-a e a última coisa que ela transparecia era estar nervosa. Ele agiu por instinto. Se estivesse errado, ela o perdoaria um dia, mas, se não estivesse, ele estaria colaborando com sua amiga. Laura estava debruçada junto às imagens, observando os monitores.

— Laura, florzinha. Dá uma olhada no meu rosto.

Quando ela se levantou para olhá-lo, Will deu um soco de direita no rosto dela, fazendo-a cair apagada na mesma hora. Ele arrastou a moça desacordada até o sofá.

— Ai, desculpa, meu bem, mas meu sexto sentido não falha. Não, não falha.

Ele retirou o celular do bolso dela e checou as chamadas. Muitos números não identificados recebidos pela madrugada e na parte da manhã. Ele olhou as mensagens, mas não havia nenhuma. Ela era esperta o suficiente para apagá-las assim que as recebia.

Meia hora depois, o telefone da moça começou a tocar insistentemente. Sem resposta, caiu direto como um recado na caixa postal.

"Laura, Julián quer ter notícias dos homens e como reagiram ao sumiço de Babi. Retorne o quanto antes."

Will olhou para a moça desmaiada no sofá. Traidora! Ela era a informante de seja lá quem quer que tinha raptado sua amiga.

Ele discou do telefone de Babi. Murilo atendeu no primeiro toque.

— O que foi?

— Alan, é a Laura. Ela está envolvida no sumiço de Babi. Ela é a informante de um tal de Julián.

— Tem certeza? Como soube disso?

Will explicou rapidamente o que tinha acontecido.

— Filha da puta! Eu nunca confiei nela. Preste atenção, Will, não deixe que ela tenha contato com ninguém. Tranque-a no banheiro e certifique-se de que ela não saia daí até retornarmos. Me avise se alguma coisa estranha ou diferente acontecer e mantenha a porra da porta fechada. Não abra nem se o Papa em pessoa tocar a campainha. Está me ouvindo?

— Sim.

Ele fez conforme Alan tinha dito: trancou Laura no banheiro e a revistou para ter certeza de que ela não tinha um celular extra e o usasse para falar com alguém.

# CAPÍTULO 16

**"A ferocidade de um animal está vinculada ao seu extinto de sobrevivência, e a do homem, à sua própria ganância, até mesmo pelo que não lhe pertence."**

**Jader Amadi**

Murilo estava no departamento da Polícia Federal de Manaus. Os agentes esperavam o avião da AFA que viria de Recife para buscá-los, a fim de efetuarem a invasão. Ele não queria pensar que algo ruim pudesse ter acontecido a Babi. *Não. Por Deus, que ela tinha que estar bem.*

Dylan e o coronel das forças armadas conversavam e analisavam um mapa que dava a provável localização do armazém.

Os reféns seriam retirados em um avião cargueiro com uma UTI móvel implantada. A operação seria grande. A tarde pareceu ter quarenta e oito horas. Murilo estava impaciente, preocupado e muito apreensivo.

Quando veio a ordem de decolagem, ele mal pôde acreditar. Seria um voo rápido até uma clareira, que daria acesso ao interior da mata onde estava localizado o armazém. Os soldados de apoio fariam a libertação dos reféns; os federais, a apreensão da mercadoria; e os agentes tinham que libertar Babi e pegar Dan e Julián, vivos ou mortos.

A caminhada na mata foi feita em silêncio e com muito cuidado. Eram muitos homens, todos treinados. Foram cinco aviões cargueiros carregados de soldados, policiais federais e agentes. A ordem era de tomada, e isso significava que haveria muitas mortes. Há muito tempo os federais esperavam para localizar o armazém colombiano que tinha sido instalado em terras brasileiras, e o momento havia chegado.

Por entre as árvores, eles viram os seguranças fortemente armados do traficante e uma cerca limitando a entrada do local. Os soldados deram as primeiras metralhadas e correram para dentro do recinto, vindos de todos os lados. Em minutos, havia um caos de gritos, metralhadoras e tiros.

Murilo, Ramon, Samuel, Fritz e Jason receberam cobertura para adentrar no galpão. Os agentes entraram atirando e viram os garotos que estavam trabalhando no turno da noite se abaixando por detrás das mesas, tentando se esquivar das balas.

Ramon gritava ordens em castelhano para que eles se reunissem e ficassem juntos. Os distintivos nas mãos anunciavam que eram da polícia e Murilo viu a esperança nos rostos de cada garoto ali.

Os federais invadiram o pequeno escritório e recolheram muitos papéis e aparelhos eletrônicos. Ramon e Murilo ajudaram a tirar os garotos dali. Sam e Jason acharam uma escada na parte de trás do galpão e deram um grito para que os outros agentes os seguissem.

Fritz atirou na fechadura eletrônica e abriu a porta com um chute. Lá dentro, estava tudo escuro e eles entraram em silêncio, cautelosos. Um tiro vindo do escuro atingiu o ombro de Ramon, que caiu ao lado de Murilo.

— Caralho! Fui atingido!

Os agentes se abaixaram atrás dos móveis. Lá fora, uma chuva de tiros fazia um ruído ensurdecedor. Alguns *plocs* estouraram perto da cabeça de Sam.

— Cuidado. Eles estão usando silenciadores.

Uma sombra correu de um lado para o outro. Jason foi inacreditavelmente rápido e atirou. O corpo caiu inerte. Os agentes esperaram uns minutos e nada.

Sam se moveu para o corredor silenciosamente.

— Limpo.

Os outros vieram logo atrás. Depararam-se com duas portas, uma do lado da outra. Murilo e Fritz as chutaram simultaneamente, enquanto Sam e Jason davam cobertura. Ramon tinha ficado na sala sentado próximo à parede, averiguando a entrada, uma vez que seu ombro estava baleado.

Babi e Tiago estavam encolhidos e abraçados em um canto do quarto. Murilo correu até eles. Eles tinham as cabeças escondidas entre os braços, os olhos apertados.

— Jesus Cristo, Babi! Você está bem?

Ela olhou surpresa para ele.

— Alan? Meu Deus!

— Sou eu.

Ele se ajoelhou e a puxou para seus braços. O alívio percorreu seu corpo, sua mente, sua alma. Ele sussurrou uma prece em agradecimento. Sam gritou da porta:

— Temos que ir, Marconi.

— Vem.

Ele puxou a garota e ela segurou a mão do irmão. Eles saíram do quarto escoltados por Murilo e Sam. Fritz ajudou Ramon a se levantar. Babi correu até ele.

— Você está muito machucado?

— Vou ficar bem, pequena. Vamos embora.

Saíram para o galpão, onde os federais recolhiam os reféns, guiando-os até os aviões para serem atendidos. Os soldados fizeram um cordão de proteção enquanto os garotos deixavam o armazém direto para os aviões.

Babi evitou olhar os corpos inertes e ensanguentados pelo chão. Tiago a abraçou, enlaçando sua cintura em um abraço forte e protetor. Ela retribuiu o abraço enquanto caminhavam para fora do galpão. Alguém apareceu e deu um tiro de algum lugar, e Fritz, com uma mira perfeita, acertou o homem bem no meio do peito, enquanto Murilo protegia os irmãos, ficando à frente deles e erguendo sua arma, olhando ao redor e se certificando de que era seguro seguir adiante. Babi virou a cabeça para não olhar o homem morto. Minutos mais tarde, eles estavam a salvo dentro do avião.

Ela começou a pensar no que poderia ter acontecido meia hora antes de ouvirem os primeiros tiros ecoarem do lado de fora do armazém.

***Meia hora antes...***

Julián e Dan trocavam algumas palavras sobre negócios. Babi estava no fundo da sala, tentando manter o máximo de distância dos dois. Ela temia pelo seu futuro incerto.

— Há uma reunião hoje com algumas pessoas importantes, Dan. Tenho que ir. Tem notícias da nossa informante?

— Ainda não.

— Isso está estranho. Mande averiguar.

— Tudo bem.

— Nos vemos pela manhã.

Dan sorriu torto para ele. Julián nunca voltava pela manhã; ele odiava acordar cedo. Essas reuniões quase sempre acabavam com algumas mulheres na cama dele, que o mantinham ocupado por toda a noite.

— Divirta-se, chefe.

— Nós dois sabemos que você será o único a se divertir hoje à noite, Dan.

Ele sorriu zombeteiro e saiu.

Dan voltou para sua casa e levou Babi e Tiago com ele. Na sala, deu uma ordem seca ao segurança.

— Leve o menino para o quarto de hóspedes.

O segurança fez sinal para o garoto acompanhá-lo, mas Tiago resistiu.

— Não! O que você vai fazer com minha irmã? Não vá machucá-la, Dan! Pelo amor de Deus, você um dia gostou dela!

— Vá logo, garoto. Não vou machucar sua irmã. Só quero conversar com ela a sós.

Babi encorajou o irmão a sair dali. Sabia quais eram as intenções de Dan e não adiantaria nada o menino presenciar algo que ele não poderia evitar. O melhor a fazer era poupá-lo de mais esse desgosto na vida.

— Vai, Tiago. Está tudo bem.

O menino engoliu em seco e saiu, porque não tinha outra opção. Seu peito queimava em agonia. Ele sabia o que Dan fazia com suas mulheres, todo mundo ali sabia: ele as usava até a exaustão. Era um maníaco sexual que não se saciava nunca. Parecia sempre buscar alguma coisa que nenhuma delas podia lhe dar. Tiago chegou a pensar que o homem buscava sua irmã em cada uma das *chicas* que ele obrigava a dormir com ele. Agora temia pelo que aconteceria à vida de Babi ali dentro, com Dan tão decidido a tê-la de volta.

Uma vez sozinhos, o ex-namorado estendeu a mão para ela. Seus olhos denunciavam suas intenções, seu corpo já mostrava a evidência. Só Deus sabia o que estava passando pela mente perturbada dele. Sua voz saiu rouca e desejosa:

— Vem, amor.

A garota deu um passo para trás, o coração martelando no peito parecendo querer sair à força. Suas pernas tremeram e sua respiração falhou. Medo era seu sobrenome naquele momento.

— Dan, isso é loucura. Por favor, eu não quero... não me obrigue.

— Você disse que faria qualquer coisa, amor.

— A proposta foi para o Julián.

Ela viu descer uma penumbra de cólera no rosto do homem e achou que foi uma ideia ruim dizer aquilo. Tinha falado sem querer, o nervosismo tinha atrapalhado seu raciocínio. Ele veio até ela, que tentou fugir, mas foi agarrada pelas mãos fortes e raivosas dele. Babi se debateu e ele rasgou sua blusa em um único puxão. Ela gritou apavorada. Dan a virou com brusquidão para olhá-la de frente.

— Então pensa que vai dormir com meu chefe debaixo do meu nariz?

Babi estava muito assustada para falar qualquer coisa.

— Você vai ser minha mulher, quer queira, quer não, Babi. Isso aqui é a sua vida agora. Acostume-se à sua casa nova e ao seu homem porque não vai ter um dia que não vai estar na minha cama. Não vai haver um único maldito dia que eu não vou meter meu pau em você até que eu esteja saciado por completo.

Ele tirou os trapos que ela tentava segurar no corpo. Babi não queria desistir, queria lutar, mas ele era muito maior e a imobilizou com facilidade.

— Talvez eu a mantenha completamente nua o dia todo, apenas para que eu trabalhe diante de uma vista deliciosa e possa ter acesso livre ao seu corpo a hora que eu quiser.

Ele fechou a mão por baixo do sutiã dela, agarrando um dos seios enquanto enterrava o rosto no pescoço da garota, chupando-o e mordendo-o sem medir o peso da violência do seu ato.

— Ai! Está me machucando! Pare! Por favor, pare...

Babi lutou para se livrar, mas ele era mais forte.

— Dan, por favor, por favor, não faz isso.

— Você vai ser minha. Sabe como fiquei atormentado por sua imagem todos esses anos? Sabe como a desejei? Como quis tê-la de volta?

Ele estava enlouquecido e a empurrou para o sofá, caindo sobre ela e prendendo seus braços com uma única mão sobre a cabeça, enquanto a outra explorava o corpo dela rudemente.

— Eu senti tanta saudade, amor! Tanta!

— Me solta, Dan. Por Deus, não faz isso comigo.

Ele segurou o pescoço dela para beijar sua boca. Babi estava perdida. Ele a tomaria à força. Nada iria impedi-lo. Ele estava marcando seu território e não havia nada que ela pudesse fazer para pará-lo. Dan a beijou com força. Ele mordeu os lábios sensíveis, machucando-os propositalmente.

A garota tentou desligar sua mente quando a boca dele desceu para seu seio e o tomou possessivamente. Ele chupou um mamilo enquanto beliscava dolorosamente o outro. Estava sendo brusco para dominá-la e mostrar quem é que mandava. Babi sentia as mãos ásperas e grosseiras massagearem seu corpo sem nenhuma delicadeza.

Ele gemia como um animal e usou uma das mãos para descer o zíper da calça dela, depois da sua própria.

— Melhor do que nos meus sonhos.

Babi tinha a respiração acelerada. Estava apavorada. Nunca devia tê-lo provocado. Nunca deveria ter falado nada sobre Julián. Dan desceu a calça dela até o joelho, empurrando-a para baixo apressadamente. Ela ficou imóvel; já tinha entendido que reagir apenas o deixaria mais furioso e a machucaria mais.

Dan afrouxou o aperto nas mãos dela, levantou um pouco o corpo e a olhou. Ele limpou uma lágrima que ela inconscientemente deixou escapar.

— Você está assustada. Não quero isso. Quero que me deseje, que seja bom para você, como foi quando me conheceu.

Ele passeava suas mãos pelo corpo dela, mais calmo agora.

— Esqueça o passado, amor. Se entregue a mim de bom grado e te darei uma vida de rainha.

Ele se deitou sobre ela, puxou seu rosto para olhá-la, avaliou o pescoço e o lábio machucado dela, no qual se podia ver um pouco de sangue.

— Eu te machuquei. Me desculpe, não quero que seja assim. Não me enfureça mais, Babi. Trate-me bem e será recompensada. Não lute comigo, não me diga não e serei bom para você. Eu prometo.

Ele terminou de tirar o jeans dela e os olhos passearam famintos pelo corpo vestido apenas com a calcinha. Dan voltou a beijá-la e acariciá-la, agora tentando ser cuidadoso.

— Vou possuí-la agora e te farei minha novamente. Seja receptiva e abra as pernas para me receber, amor...

Ele brincou com a renda da calcinha e começou a tirá-la. Quando Babi achou que tudo estava perdido, um estouro o fez pular de cima dela.

Os seguranças irromperam porta adentro e vieram na direção dele, apressados. Dan ficou de pé, ajeitou sua calça e deu uma ordem seca à garota.

— Coloque suas roupas e vá para o quarto.

Ele tirou sua camiseta e estendeu-a para que ela a vestisse. Babi virou de costas e se vestiu depressa para esconder o corpo dos grandalhões que estavam com os olhos arregalados e vidrados nos seios desnudos. Ela entrou em sua calça jeans rapidamente e sumiu para o quarto, para se juntar ao irmão. Dan olhou para os seguranças, reprovando o modo como estavam comendo Babi com os olhos.

Os homens se recompuseram imediatamente.

— O que está acontecendo?

— São tiros. Acreditamos que o armazém esteja sendo invadido.

Dan correu até o sistema de monitoramento e confirmou as suspeitas do segurança: realmente o armazém estava sendo invadido. Ele sabia que os caras estavam ali por Babi e pelo irmão dela. Um dos seguranças jogou uma camiseta para ele, que a vestiu com os olhos presos nos monitores.

Julián estava fora. A invasão estava avançada e eles eram muitos.

Dan viu algumas lutas corpo a corpo entre seus homens e os policiais. Havia tiroteio e muitos gritos. Além disso, os reféns já estavam sendo retirados dos galpões. Ficar e tentar lutar seria inútil.

Ele ponderou sobre levar Babi com ele e deixar Tiago para os federais. Passou as mãos pelos cabelos enquanto avaliava as possibilidades. Por pouco, ele quase tinha feito uma besteira da qual se arrependeria muito. Uns minutos a mais e ele a teria tomado à força. Seria um estupro. Tinha perdido a cabeça por causa do interesse descarado de Julián nela e com a oferta que ela tinha feito a ele em troca da liberdade do irmão.

Quase tinha se corroído em ciúmes ao vê-la disposta a dar de boa vontade ao chefe o que estava negando tão veementemente a ele.

Se a levasse, Julián a tomaria para si. Ele ficaria furioso com a invasão e com o prejuízo da mercadoria apreendida e se aproveitaria da situação para requerer Babi como amante, e Dan não poderia lutar contra isso, especialmente depois da proposta insana que ela tinha feito a ele.

Se a deixasse ir, ela estaria segura com os federais e poderia recomeçar a vida que ele tinha ajudado a destruir. O sonho de estar com ela novamente tinha acabado. Era melhor aceitar o fato e pensar com a razão.

— Chefe, receio que não temos muito tempo. Eles estão avançando rápido.

— Vamos pela passagem secreta. Dois de vocês fiquem para trás e os distraiam.

— E a garota e o irmão dela?

— Deixe-os. Não vale a pena o risco.

Ele saiu pela passagem secreta que tinha sido construída especialmente para fugas estratégicas. Eles estavam na fronteira com a Colômbia, e o corredor o levaria para solo colombiano em vinte minutos, no máximo. Lá ele pegaria seu jatinho para sua casa e avisaria Julián da invasão.

Dan passou pela porta do quarto e hesitou, mas seguiu em frente. O sonho tinha acabado há quatro anos. Ele tinha feito uma escolha e não tinha como voltar atrás. O homem se esgueirou pela passagem, mas ainda ouviu o som dos tiros na porta principal antes de seu segurança apertar o botão que colocaria uma parede sobre a outra e esconderia o caminho da fuga.

Dentro do avião, Murilo observava Tiago. Ele era muito parecido com a irmã: cabelos grossos, pretos e curiosamente bem cortados; tinham os mesmos olhos, embora os dele parecessem bem mais cansados. Era bastante alto e estava absurdamente magro para o seu tamanho.

Era possível ver claramente os sinais de maus tratos: a pele excessivamente bronzeada, as mãos com dedos cadavéricos. Próximo à boca, havia um côncavo típico de um envelhecimento precoce de alguém que não se alimentava corretamente. Ele estava deitado no colo da irmã, que passava as mãos nos cabelos dele carinhosamente. Babi o olhava com adoração, pena, alívio e uma mistura de muitos outros sentimentos.

Estavam todos em silêncio, exceto por Sam, que falava com Dylan ao telefone relatando o sucesso da operação, embora tivessem perdido alguns soldados e dois federais.

Murilo observou que a camiseta de Babi era de homem porque estava muito grande nela e a garota estava sem sutiã. Ele puxou o ar nervosamente, tentando não pensar no porquê de ela estar com outras roupas que não as suas. Babi jogou os cabelos para trás e Murilo inspirou profundamente, prendendo a respiração. Ela estava machucada. *Deus, eles a tinham machucado!*

O agente cerrou os punhos e sentiu seu maxilar tensionar com violência. Seu coração pulsava na garganta e o sangue fervia nas veias. A tensão no corpo de Murilo pareceu chamar a atenção da pequena decodificadora, que ergueu o olhar e encontrou os olhos dele presos no machucado do seu pescoço.

Rapidamente, ela puxou os cabelos para frente, para esconder as marcas, e fez um sinal discreto indicando Tiago. Murilo olhou para o irmão dela, que tinha os olhos fechados, mas evidentemente não estava dormindo. Ele entendeu que ela não queria deixar o menino ainda mais perturbado. O casal se encarou por alguns segundos sem desviar os olhos.

Babi podia ver a ira de Murilo pulsando nas veias dos seus braços e pescoço. Podia sentir o corpo dele pronto para matar quem a tinha ferido. Um carinho imenso tomou o coração dela e trouxe lágrimas aos seus olhos. O agente fez menção de vir sentar ao seu lado, mas ela balançou a cabeça, negando.

Murilo engoliu em seco. Ver sua garota, sua neném, machucada e com lágrimas nos olhos o fez querer derramar o sangue do desgraçado que a tinha feito sofrer. Ele não queria pensar no que tinha acontecido, não queria pensar que ela pudesse ter sido submetida a... *não, não e não.*

*Não podia ter acontecido, por Deus, eles não podiam ter tocado nela dessa forma.* Ele não conseguia sequer processar a possibilidade de que ela tinha sido... *ela tinha sido... não... não.* Murilo sentiu o peito apertar com a dor e a agonia do que estava imaginando.

Babi queria abraçá-lo e confortá-lo. A dor nos olhos dele dizia tudo que as palavras não conseguiam. Ela murmurou "estou bem", mas ele sabia que não era verdade.

O restante da viagem foi uma tortura. Murilo precisava falar com ela. Precisava tê-la em seus braços, beijá-la e dar-lhe alguma segurança. Deus, ele estava apavorado em pensar no que podia ter acontecido.

Ele se lembrou do amigo dela, que estava no apartamento. Pegou o celular e discou o número. Will atendeu no primeiro toque.

— Alan?

— Sou eu. Ela está bem. Resgatamos Tiago também. Estaremos em casa em poucas horas. Como está sua visita?

— Se esgoelando no banheiro. Meus ouvidos já estão sensíveis de tanto ouvir a besta traidora gritar.

— Aguente mais um pouco. Mantenha as coisas sob controle até que eu esteja aí.

Quando os aviões pousaram na base da AFA no Recife, o ambiente já estava preparado com comida, bebida, roupas e acomodações para receber os quase vinte reféns.

Dylan esperava por eles, e Babi foi escoltada com o irmão para o gabinete do general.

— Vocês terão que dar um depoimento rápido. É de praxe, porque todo o processo irá a fundo, mesmo em São Paulo. Descansem um pouco, pois estaremos partindo para casa em duas ou três horas, no máximo.

Eles concordaram. Murilo veio até ela e a tomou nos braços.

— Babi...

Ela o abraçou forte e ele retribuiu afetuosamente, beijando sua testa e acariciando seus cabelos. Sua voz estava estrangulada pela ansiedade, pelo medo do que poderia ouvir.

— Quem a machucou? Meu Deus, eles... te... eles fizeram...

— Não. Está tudo bem. Foi o Dan. Ele estava enlouquecido, fora de si, foi por pouco, mas vocês chegaram a tempo.

Soltando o ar, aliviado, Murilo murmurou um agradecimento aos céus.

— Ah, Deus, graças a Deus.

— Foi por muito pouco, Alan. Ele ia... ele ia me forçar.

Os lábios dela tremeram com a lembrança e os olhos marejados olharam para ele com pavor reprimido. Murilo a esmagou em um abraço protetor, tentando acalmá-la e passar o máximo de conforto possível naquele momento.

— Shhhh... Acabou. Vocês estão livres e seguros. Estou aqui com você. Esses malditos não vão chegar perto de nenhum de vocês nunca mais. Eu prometo.

Ela se esticou para beijar a boca linda que era toda sua. Babi acariciou o rosto dele com amor. Murilo segurou a mão dela junto ao seu rosto. Amava aquela garota linda e muito corajosa, e, por tudo que era mais sagrado, iria protegê-la pelo resto da vida. Eles sorriram um para o outro e ficaram ali, dividindo aquele momento muito pessoal como se estivessem sozinhos. Tiago os observava do canto da sala, calado e pensativo.

Um homem fardado abriu a porta e entrou. Murilo permaneceu com Babi em seus braços. Ela tinha a cabeça apoiada em seu peito e os braços envolvidos firmemente em sua cintura. O homem foi cortês quando se apresentou.

— Boa noite, sou o tenente Camargo e vou colher um depoimento rápido para regularizar a papelada dessa operação. Em seguida, vocês estarão livres para voltar pra casa. Agente Murilo Marconi, preciso que os espere do lado de fora. Tentarei ser breve. Assim, se puder nos dar licença...

Babi enrijeceu e ergueu o rosto pálido para olhá-lo. Os braços o soltaram lentamente. Murilo Marconi? Onde estava o rapaz chamado Alan? Agente? Polícia? Tudo bem que isso ela já previa, mas... ele não era ele?

— Murilo? Seu nome não é Alan?

Ela se afastou um pouco, desorientada. Ele deu dois passos em direção a ela, que se desviou. *Não. Não podia ser. De novo uma mentira.* De novo alguém que ela não tinha ideia de quem era, de quem sequer sabia o nome verdadeiro.

— Babi, eu posso explicar, posso te explicar tudo. Não faça associações injustas.

— Mais tarde, agente. Preciso colher os depoimentos. Saia agora.

Ele concordou e, embora tenha hesitado um pouco, deixou a sala. Ela não olhou para ele. *Merda. Merda*. Ela tinha acabado de ser machucada pelo ex-namorado que tinha mentido para ela sobre tudo, inclusive sobre o próprio nome.

É claro que estaria muito propensa a compará-lo com o filho da puta do Dan. Inicialmente, as histórias eram muito parecidas: dois homens mais velhos, com características bastante similares e que tinham mentido para ela. O contexto era completamente diferente, porém, nas atuais circunstâncias, seria muito difícil fazer com que ela enxergasse essas diferenças e confiasse nele.

Murilo aguardava na sala de espera junto de Sam, Jason e Fritz. Sentia suas mãos formigarem com a tensão e ele as abria e fechava tentando manter o autocontrole. Ramon apareceu com o ombro enfaixado e duas garrafas de cerveja na mão. Estendeu uma para o amigo, que a pegou e tomou metade do líquido amargo e gelado em apenas um gole.

— Onde está a pequena?

— Com o tenente.

— Dan e Julián não foram pegos. Ainda não está tudo terminado, campeão.

— Eu sei, mas confio que o Dylan vai providenciar uma segurança eficaz para os dois irmãos.

— Ah, sim, ele vai. Ela só terá que se retratar com o lance de tê-lo mandado se foder.

Os agentes riram, menos Murilo, que tinha a mente em outro lugar. Sua voz tinha raiva quando falou:

— Estarei por perto. Mato o desgraçado se ele se atrever a chegar a mil metros de distância dela.

Fritz deu um palpite, divertindo-se.

— Menina da boca suja, isso é o que ela é.

— Já falou para ela sobre a Cinderela?

— Não. É muita coisa para ela lidar. Precisa assimilar uma coisa de cada vez.

E tinha mais essa ainda. A ex-namorada era uma informante. Ela iria surtar e ele pagaria o pato. Murilo gemeu de frustração porque sabia que estava em maus lençóis com ela. Ramon olhou para ele, irritado.

— Campeão, vai fazer um buraco no chão se não parar de andar de um lado para o outro. Está me deixando agitado.

Quase duas horas depois, a porta se abriu. Tiago estava com os braços sobre os ombros da irmã e ela murmurou com voz cansada para ninguém em especial:

— Podemos ir.

Murilo se aproximou, mas não a tocou. Ela não fez contato visual com ele. Sam veio até eles para dar as instruções.

— O jatinho que vai levá-los a São Paulo já está pronto. Ramon e Murilo vão com vocês. Eu e os outros ficaremos para ajudar com os demais garotos.

Pela primeira vez, Tiago falou, em um inglês perfeito:

— Todo mundo que estava lá foi resgatado?

— Sim. Todos. Não deixamos ninguém para trás.

Ele fez que sim com a cabeça, agradecido. Babi olhou para os caras. Então, Diego era Ramon. Ela se virou para Sam.

— Seu nome não é Mike.

— Não. É Samuel, ou simplesmente Sam.

Fritz se apresentou, dizendo-lhe seu nome verdadeiro, e ela perguntou sobre os outros.

— James?

— Jason. Apenas Dylan usa sempre seu nome verdadeiro.

— Entendo.

Murilo tentou se justificar.

— Era uma operação secreta, Babi. É um procedimento de segurança...

Ela olhou para ele com uma expressão magoada.

— E eu era a criminosa que não merecia a confiança de saber sequer seu nome, não é?

— Não foi assim...

Sam colocou a mão sobre o ombro dele.

— Não aqui, Marconi. Vão para casa e conversem lá.

Babi começou a andar, mas os agentes ainda ouviram seu murmúrio chateado:

— Um bando de mentirosos.

Ninguém retrucou. Compreendiam que ela estava sob efeito das últimas horas — não apenas isso, mas sob a pressão dos últimos meses de tensão, de preocupação e tudo mais. Ela saiu da sala e os agentes foram atrás. Babi se sentou ao lado do irmão dentro do avião. Eles foram conversando baixinho e vez ou outra ela sorria para ele.

Tiago era muito carinhoso com ela, sempre acariciando seus cabelos, seu rosto. As mãos deles estavam entrelaçadas e havia uma cumplicidade bonita de observar. Murilo não conseguia tirar os olhos dela. *Inferno, ela ia ter que entender sua posição, porque não havia uma única chance de ele se afastar. Nenhuma maldita chance de deixá-la ir para longe dele.* Ela que se acostumasse com a ideia de que a profissão dele exigia certos disfarces e, algumas vezes, mudança de identidade, porque ele ia manter as coisas entre eles exatamente como estavam antes de ela ser sequestrada.

Quando chegaram a São Paulo, o JX estava esperando-os. O caminho até o apartamento foi tenso e silencioso.

Quando entraram, Will estava dormindo, agarrado ao telefone e a uma garrafa de Red Label vazia. Ele acordou atordoado com o barulho. Deu um pulo assustado e um grito eufórico. Depois, agarrou Babi num abraço apertado.

— Docinho! Meu docinho, você está bem? Me desculpe, foi culpa minha. Jesus Cristo, Ti, é você mesmo?

— Oi, Will.

— Você cresceu, garoto!

— Acho que eu cresci um pouco e você não mudou nada.

Will também abraçou o menino afetuosamente.

— Você está um franguinho magro e depenado, mas estou feliz que esteja bem.

Ele sorriu para o rapaz, francamente aliviado. Murilo falou secamente:

— Onde ela está?

— No banheiro. Gritou como uma louca desvairada por horas. Meus pobres ouvidos estão doloridos.

Babi estreitou os olhos.

— De quem estão falando?

Antes que Murilo pudesse dizer qualquer coisa, Will se antecipou:

— Laura. Ah, Babi, sinto muito, mas nossa florzinha era uma traidora.

— O quê?

— Isso mesmo. Uma traidora de uma figa. Vou te contar tudo.

Murilo puxou o celular e fez uma chamada, pedindo auxílio federal para lidar com Laura.

— Os federais estarão aqui em pouco tempo. Eles cuidarão dela.

— Espera um minuto. Os federais? Que droga toda é essa aqui?

— Babi, você está esgotada. Precisa descansar. Amanhã conversaremos sobre isso.

— Amanhã uma ova, Alan... Murilo, ou o diabo quem quer que você seja.

Will ergueu as sobrancelhas.

— Murilo? Onde foi parar o Alan? Por isso prefiro apelidos, eles são tão mais certeiros!

Murilo bufou impaciente e adotou uma postura mais austera.

— É Murilo. E Laura era a informante de Julián sobre você.

Babi balançou a cabeça com evidente incredulidade.

— Não acredito.

— Pois é. Acredite, meu palpite sobre ela estava certo.

— Eu quero vê-la.

— Não.

O agente a segurou pelo braço, mas a garota passou por ele e foi até o banheiro, destrancando a porta. Laura se levantou depressa e olhou para Babi, demonstrando surpresa.

— Babi!

— Parece que não sou a pessoa que você esperava ver aqui...

— Claro que não... quer dizer, claro que sim, que esperava te ver. Ah, minha nossa, que bom que você está bem.

Elas se encararam por uns segundos.

— Me diz que é mentira.

— Não sei do que você está falando.

— Will e Alan me disseram que você trabalha para Julián.

Laura tentou passar por ela, mas foi impedida. Babi a segurou e a empurrou para dentro novamente. Seu rosto estava com um hematoma enorme.

— A coisa é complicada, Babi. Só quero que saiba que para mim... nós... meus sentimentos, eles foram reais.

— Você sempre soube onde meu irmão estava?

Diante do silêncio revelador, Babi perdeu as estribeiras. Seu grito foi doído, seu choro, comovente. Os soluços partiram os corações de Will e

Murilo, que se aproximaram dela querendo apoiá-la.

— Você compartilhou da minha dor, da minha preocupação. Me viu chorar vezes e vezes seguidas por ele e sabia o tempo todo onde ele estava? Divertia-se com meu sofrimento?

— Claro que não... Babi, eu juro...

Antes que pudesse se justificar, Tiago apareceu na porta do banheiro.

— Ela é a Laura?

Tiago se dirigiu à irmã.

— Era com ela que você namorava?

Babi encarou o irmão.

— Não era um namoro de fato. Eu estava tentando apenas... Ah, não importa.

— Eu a vi com Dan e Julián umas duas ou três vezes no armazém.

As garotas se olharam em silêncio. O ressentimento de Babi distorcia sua feição bonita. A dor da traição, o cansaço da viagem e toda a bagagem dos últimos dias exauriram suas forças. Ela saiu do banheiro e se trancou no quarto.

Laura saiu apressada para a sala apenas para dar de cara com Murilo apontando uma arma direto para ela.

— Um passo e eu atiro, Cinderela dos infernos.

O apelido foi dito com ironia e ela se enfureceu.

— Agente, não é?

— Sabe que sim. Cresceu entre eles, reconheceria nossa forma de trabalhar.

— Não há nada para me incriminar. Conheço meus direitos.

— Temos uma mensagem no seu celular e o testemunho de alguns reféns que a reconheceriam facilmente. Seu chefe se mandou e a deixou para trás, Laura. Fim da linha pra você.

A campainha soou e dois agentes federais entraram quando Ramon abriu a porta. Eles apreenderam o celular com a mensagem, tomaram o dossiê encomendado, conversaram com Tiago e depois a algemaram.

— Ela é filha do diretor da ABIN, Francisco Demarqui. Devem avisá-lo antes de tudo, e evitem a imprensa.

Quando ela se foi, Will tinha lágrimas nos olhos.

— Meu docinho vai demorar para se recuperar disso.

— Ela é forte, Will, e a porra dessa menina não vai fazer falta nenhuma na vida dela.

# CAPÍTULO 17

**"Somente quando encontramos o amor, é que descobrimos o que nos faltava na vida."**

**John Ruskin**

Uma hora depois, Babi ouviu alguém bater à porta. Sabia que não era o irmão nem Will, nem Diego, ou melhor, Ramon. Ficou em silêncio, não queria falar com ele agora.

— Neném. Por favor, precisamos conversar.

A voz dele estava sofrida, mas ela estava ferida, magoada. Tudo bem, era grata a ele por ter salvado a ela e ao seu irmão, entretanto, era a mesma situação na qual esteve há quatro anos; não tinha ideia de quem ele era.

— Babi, tenho o direito de me explicar.

Ela respirou fundo. Ele tinha razão. Por tudo que fez por ela e por Tiago, o homem tinha o direito de falar.

Ela abriu a porta e se afastou.

O rapaz tinha tomado banho e vestia regata preta com calça de moletom da mesma cor, e, droga, ele estava lindo. Perfeito era seu sobrenome.

Murilo ficou parado na porta admirando a visão dela cheirando a banho e pele fresca com sua blusa de dormir velha e sexy. Os cabelos estavam presos e ele viu a marca da mordida em seu pescoço. Aquilo tinha que ter doído muito porque a machucou seriamente.

O agente se aproximou e tocou seu pescoço com extrema leveza.

— Queria matá-lo por isso.

— Vou ficar bem.

— Está machucada em outros lugares?

— Um pouco.

Ele ergueu a blusa com cuidado e gemeu em frustração. Havia hematomas nas costelas e marcas muito fortes de dedos no seio esquerdo, sem contar os braços, que estavam roxos em vários lugares.

Murilo pousou sua mão na cintura dela e tentou trazê-la para si, mas Babi se desvencilhou do seu toque.

A garota desceu a blusa. Podia enxergar o ódio estampado no rosto dele e não queria se lembrar de nada do que tinha acontecido horas antes.

— Estou bem. Se foi por isso que veio, pode me deixar sozinha agora.

— Neném, não faz isso. Eu sou um agente. Tente compreender, nem sempre posso usar minha identidade verdadeira.

— Entendo.

— Não, você não entende. Está dizendo isso para se livrar de mim.

Ela se aproximou da janela e olhou a cidade de cima. Ele chegou junto dela, seu corpo muito próximo, tocando o seu de maneira sutil. Babi fechou os olhos e respirou fundo. As mãos dele tocaram seu ombro e ela sentiu a boca macia beijar seu pescoço com carinho. O hálito dele soprou em sua nuca e a deixou arrepiada.

Quando falou, a voz de Murilo estava baixa e sensual:

— Precisa aceitar que tenho que manter algumas coisas em segredo para o bem do meu trabalho. As missões são secretas, Babi.

— Só pedi seu nome. Apenas seu nome verdadeiro.

— Dylan não me autorizou a falar.

Ela se virou. Estavam tão próximos que sentiam a respiração um do outro. Murilo se abaixou para beijá-la, mas ela o impediu, colocando as mãos em seu peito. Ele segurou os pulsos dela com delicadeza e a beijou mesmo assim.

Os lábios dele eram gentis, mas dominantes. Babi tentou não corresponder, mas a boca dele era insistente, esmagadora, deliciosa. Ela sentiu a mão grande e forte dele se fechar em sua nuca, puxando-a para si enquanto a outra enlaçava sua cintura com necessidade de fazê-la sentir o membro duro e excitado que estava muito evidente através da calça de moletom. Quando ele tentou aprofundar o contato, ela foi mais firme na recusa, e Murilo a respeitou.

— Espera, espera... por favor.

Ela tomou alguma distância e tentou se recompor.

— Olha, Alan... Murilo. Estou grata, realmente grata por terem resgatado meu irmão e por terem chegado a tempo de evitar que Dan me machucasse ainda mais. Mas estou esgotada. Eu preciso de um tempo. Estou vivendo um inferno há um ano e preciso ter alguns momentos com o Tiago.

— Quero estar na sua vida, Babi.

— Eu venho de uma relação cruel com Dan por tudo que ele me fez, de uma relação mentirosa com Laura e agora descubro que a pessoa com quem dormi nos últimos dias não confiou em mim nem pra dizer seu maldito nome verdadeiro.

— Já te expliquei que...

Ela fez sinal para que ele parasse e a ouvisse.

— Não estou dizendo que essa decisão é definitiva ou que não mudarei de ideia quando esfriar a cabeça, mas, agora, neste momento, não tenho condições de lidar com isso.

— Você não precisa lidar com tudo sozinha. Tem a mim, não pode me chutar para fora da sua vida dessa forma.

— Alan... preciso respirar. Preciso organizar minha vida com meu irmão.

— Não vou te atrapalhar em nada. Vou ajudar vocês dois...

— Não quero nenhuma complicação agora.

— Não estou te dando essa opção.

Ela suspirou, cansada, e ele tentou ser compreensivo. A garota estava exausta, abalada, tudo ainda era muito recente. Murilo segurou seu rosto com ambas as mãos.

— Vou ficar na sua vida e não abro mão disso.

Babi abriu a boca para falar, mas ele a impediu.

— Não vou permitir que me coloque na mesma posição que aquele maldito Dan porque não sou ele. Me enfiei na sua cama porque a queria e ainda te quero, e é exatamente onde vou estar nos próximos anos. Mas entendo que você precisa de um tempo só para si.

— Entende?

— Sim. Vou sair agora, mas saiba que eu tenho um lugar na sua vida que não estou deixando vago. Voltaremos a nos falar em breve.

Ela assentiu. Murilo a beijou suavemente e saiu do quarto. Não podia desconsiderar tudo que ela falou porque sabia que a garota tinha razão. Há tempos, ela e o irmão vinham sendo bombardeados com uma sucessão de eventos trágicos e difíceis. Precisavam estar a sós por uns dias.

Murilo daria a ela uma semana para se sentir melhor. Uma semana e nenhum dia a mais. Babi se deitou e adormeceu rapidamente. Estava exausta e precisava, realmente precisava, descansar.

Três dias depois, Tiago e Babi estavam fartos de tantos relatórios, depoimentos e papéis para assinar. Dylan disse a ela que ambos seriam colocados no programa de proteção à testemunha e seriam assistidos de perto. Murilo manteve distância, conforme havia prometido.

Dylan explicou que o antigo apartamento dela ia continuar sendo monitorado por um tempo, por medida cautelar, mas que eles estavam livres para recomeçar suas vidas.

— Posso voltar para a minha casa, então?

— Sim, Srta. Savi. Está livre para retomar sua vida e cuidar do seu irmão.

Ela se aproximou e lhe estendeu a mão com educação. O homem aceitou o cumprimento.

— Obrigada por tudo, comandante.

Ele se virou para deixar a sala, mas ela o chamou de volta.

— Comandante Meyer?

— Sim?

— Me perdoe por tê-lo insultado naquele dia, na cozinha. Não devia ter dito aquilo... o senhor sabe.

Dylan ficou surpreso com o pedido de desculpas inesperado.

— Não o faça novamente porque posso não ser tão complacente da próxima vez.

Ela sorriu, caminhou direto para ele, se esticou e lhe deu um beijo no rosto. Ele ficou vermelho e muito sem jeito.

— Não vai acontecer, comandante.

Os caras riram e ela olhou para eles.

— Obrigada a todos, por tudo. Desculpem-me qualquer coisa.

Ela abraçou cada um deles, inclusive Murilo, tratando-o com a mesma polidez destinada aos outros agentes. Ela pegou sua mochila, abraçou o irmão e saiu.

Murilo respirou fundo e fitou a porta fechada com uma expressão perdida. Lorena olhou para ele, penalizada.

— Ela vai superar.

Ele não disse nada, apenas continuou fitando a porta fechada. Quando Dylan se aproximou, olhou para ele e lhe entregou uma carta, que o tirou do seu devaneio.

— O que é isso?

— Um convite oficial para fazer parte da minha equipe em definitivo, agente Marconi. Já falei com seus superiores, depende apenas de você. Ficaria feliz se decidisse ingressar para o meu time em caráter permanente. Tire trinta dias de férias e me ligue se tiver interesse em continuar trabalhando comigo.

— Obrigado, Dylan.

Os caras bateram em seus ombros, dando-lhe as boas-vindas antecipadas. Murilo ficaria uns dias no apartamento antes de entregá-lo ao governo; ele era usado exatamente como apoio em missões especiais. Precisava falar com Babi antes de sair de férias para sua casa no sul. Ela teria que perdoá-lo e voltar para ele. Ele não aceitaria um não.

# CAPÍTULO 18

**"Nossa maior fraqueza está em desistir. O caminho mais certo de vencer é tentar mais uma vez."**

**Thomas Edison**

Uma semana tinha se passado e Babi não atendia o celular nem respondia suas mensagens. Murilo estava possesso. Foram os sete dias mais longos e difíceis da sua vida. Ele ligou para Will.

— Ei, gaúcho gostoso...

— Cadê ela, Will?

— Ela quem?

— Gazela maldita! Não me faça perder a cabeça. Por que ela não me atende?

— Ela trocou o número do celular, e, antes que me peça o novo, já vou dizendo que não estou autorizado a passá-lo a você.

— Vá se foder, Will.

— Eu ia adorar, mas sabe, as coisas andam difíceis pra mim nesse departamento.

Murilo murmurou um palavrão e desligou. Ele pegou o carro e foi até o apartamento dela. Tocou a campainha três vezes seguidas. Tiago abriu a porta. Ele já tinha um aspecto bem melhor, mais saudável. Parecia até que tinha adquirido peso nos últimos dias.

— Chame a sua irmã. Quero falar com ela.

— Ela não está.

Murilo entrou e foi até o quarto verificar. O menino o seguiu e se irritou com a ousadia do agente.

— Você é surdo? Eu disse que ela não está.

— Aonde ela foi?

— Por que não dá um tempo pra ela?

— Já dei tempo suficiente.

— Uma semana? Acha que é o bastante diante de tudo que ela passou?

— É o suficiente pra mim.

Tiago bufou indignado e foi para a cozinha.

— Bata a porta ao sair.

Murilo não pretendia sair dali. Ele seguiu o rapaz até o cubículo que chamavam de cozinha. Tiago se sentou na mesa pequena e voltou a jantar. O menino olhou para ele, impaciente.

— Vai ficar me olhando?

— Não deveria esperar sua irmã para jantar, depois de tanto tempo separados?

— Provavelmente ela não vai voltar pra casa hoje. Foi beber com o Will.

O agente sentiu o sangue correr mais depressa.

— Onde eles foram?

— Você sabia que ela perdeu o emprego no bar?

— Merda, não.

— Pois é. Ela foi demitida. O Giovanni ficou possesso com o sumiço dela.

— Ela é boa no que faz, vai arrumar outro logo. Quando você volta para a escola?

— No próximo ano. Os federais vão me dar uma identidade nova. Não acham seguro eu andar por aí com meu verdadeiro nome até que Dan e Julián sejam pegos. Estou esperando. E, agora que não tem mais emprego, a Babi quer ir embora daqui, mudar de ares.

Murilo bufou.

— Embora? Sem mim? Só nos sonhos dela.

— Isso eu não sei. Talvez fosse melhor, sabe. Eu e ela não temos nada que nos prenda aqui.

— Você pode não ter, mas ela tem.

— Quem? Você? Não me parece que ela se sinta ligada a você de maneira nenhuma.

Murilo puxou uma cadeira e se sentou. Ele olhou para o menino, que estava com os dois pés atrás com ele. Ele sabia como era. Tinha uma irmã e a protegeria até o último suspiro se precisasse.

— Gosto de verdade dela, Tiago. Eu não menti para enganá-la deliberadamente. Tenho regras e protocolos confidenciais a seguir. Estou sério sobre o que sinto. Jamais, em hipótese alguma, faria mal a ela.

Tiago olhou para ele e avaliou o homem à sua frente. Só o fato de ser um agente do mais alto escalão já o desabonava de qualquer coisa ilícita, como as que Dan um dia praticou contra sua irmã.

Ele viveu um inferno no cartel, mas Babi também não estava no paraíso trabalhando como uma escrava para Julián. Ela merecia alguém que cuidasse dela.

— Eu acredito em você. A questão é se ela acredita ou quer acreditar.

— Porra, a mulher é uma cabeça-dura.

— Ela foi muito enganada. É diferente.

— Mas eu me justifiquei. Sou um homem da lei, caramba. Há diferenças entre mim e aquele maldito crápula.

Tiago se levantou.

— Bom, eu me apressaria, se eu fosse você. Ela disse que ia ao Flor de Lis encher a cara para esfriar a cabeça. Considerando que ela já teve uma namorada, poderia achar que ela estaria procurando por uma nova.

— É uma boate gay?

— Sim.

O homem se levantou, já muito bravo.

— Nem fodendo. Onde fica?

— Não sei. Tem que ligar para o Will e perguntar.

Murilo discou o número e foi logo dizendo assim que o amigo de Babi atendeu:

— Você tem meio minuto para me dizer onde fica essa merda de boate ou vai terminar a noite com sua cabeça separada do pescoço.

— Av. Paulista, 1.985, e eu não tive nenhuma culpa nisso... Eu...

Se não estivesse tão zangado, o agente poderia rir do desespero na voz do amigo da garota.

Ele saiu do apartamento e foi buscar o que era seu.

Will correu os olhos pelo recinto lotado em busca de Babi.

— Ai, Deus! Ai, Deus! Ele vai me esfolar vivo por tê-la trazido aqui.

O amigo de Babi andou pela pista tentando achá-la e deixá-la apresentável para quando Murilo chegasse. Ele deu um grito quando a viu dançando até o chão de maneira sensual. Uma mulher loura se aproximou dançando e a cercou com interesse óbvio. *Deus do céu, seria o seu fim.*

Babi estava com os olhos fechados e a mente em algum lugar que definitivamente não era ali. A garota nem percebeu que a loura babona estava com as mãos em sua cintura, tentando tirar uma casquinha do seu estado alcoolizado.

Will bateu nas mãos da loura e a olhou de cara feia.

— Docinho... Ei... Docinho. Seu gaúcho está vindo e ele não está feliz de saber que você está aqui.

Ela não ouvia, estava dançando como uma louca, os braços para cima, a cabeça bamboleando de um lado para o outro. Estava bêbada porque precisava tirar um certo agente secreto da sua mente, do seu coração e da sua vida de uma vez por todas.

A moça alta e platinada que dançava atrás dela deslizou a mão pelo corpo de Babi, faminta por terminar a noite bem acompanhada. Will novamente tirou as mãos dela do corpo da amiga e falou carrancudo:

— Loirinha tesuda, um aviso, meu bem: o namorado dela é grande, eu disse G.R.A.N.D.E, e ele está furioso e vindo para cá. Melhor tirar suas mãozinhas desse corpinho que já tem dono, se quiser continuar com elas intactas.

— Sai pra lá, bichona.

Will arregalou os olhos, cheio de indignação.

— Bichona, hein! Mal posso esperar para ver sua cara partida em quatro assim que ele entrar por aquela porta.

Will segurou a amiga pelos ombros.

— Babi, presta atenção. É o seu agente particular, ele vai te matar. Ai, Deus, ele vai me matar.

Ela riu e ele desistiu.

— Quer saber? Vou salvar a minha linda e luxuosa pele. Fique aí e se entenda com ele.

Will se despediu rapidamente de uns amigos, terminou sua bebida em um único gole e estava saindo quando foi interceptado por um corpo forte, duro e definido que o amigo de Babi teria adorado explorar, se o dono dele não estivesse olhando para ele com um rosto assassino.

— Onde ela está?

— Na pista de dança.

Tentando desviar da muralha peitoral que fechava seu caminho, Will deu uns passos para escapar. Murilo o pegou pelo pescoço e o prendeu junto à parede. Sua voz estava dura e tensa quando o advertiu:

— Traga minha mulher pra cá de novo sem meu consentimento e você irá lamentar. Você me entendeu?

Will fez que sim e estava bastante assustado.

— Ela disse que vocês tinham terminado e ela estava tão tristinha que eu...

— Terminados uma ova, me leve até ela.

Will foi empurrado através da multidão, enquanto Murilo o seguia de perto e ouvia, sem se importar, as gracinhas dos gays que estavam de olho nele. Deus o ajudasse se Babi estivesse com alguém ali dentro porque ele perderia o controle, disso tinha certeza.

O amigo apontou para alguém no meio da pista. Ele viu o corpo pequeno balançando para lá e para cá dentro do círculo dos braços de uma loira alta que ia e vinha com suas malditas mãos pela cintura da sua mulher.

A fúria passou por ele e devastou seu bom senso. A raiva o impulsionou até lá. Ele agarrou o pulso da loira e torceu até que ela se dobrasse de dor. As pessoas abriram espaço e Babi demorou um pouco para se dar conta do que estava acontecendo.

— Você está louco? O que está fazendo? Solte-a!

A loira caiu de joelhos, gritando, com o pulso dobrado. Murilo queria quebrá-lo para nunca mais ela se atrever a pôr as mãos no que era dele. Babi agarrou seu braço, os olhos assustados.

— Pelo amor de Deus, solte-a já!

Ele se abaixou para que a moça atrevida ouvisse o que ele queria falar:

— Ela é minha. Toque nela mais uma vez e ficará sem as duas mãos.

Ele a soltou e foi puxando Babi pelo braço, guiando-a para fora da boate. Will se aproximou da loira, que permaneceu de joelhos tentando se recuperar. Ele se abaixou perto dela, sorrindo, apontou para si num gesto exagerado, fez beicinho e soltou:

— A bichona aqui te avisou.

Murilo estava possesso. Além de ter que lidar com os caras que babavam por ela, teria que se preocupar com o fato de ela frequentar baladas gays e deixar que as mulheres também pusessem as mãos nela. Dupla concorrência: ninguém merecia.

Ele a levou firmemente até o JX, abriu a porta bruscamente e a enfiou dentro do carro.

— Saia daí e eu juro que te dou umas palmadas.

A bebedeira dela foi curada pela adrenalina do que tinha ocorrido. Ela nunca esteve tão sóbria e nunca tinha visto Murilo tão bravo.

O rapaz deu a volta no carro, abriu a porta do motorista, bateu-a com violência e se sentou atrás do volante. Ele levou uns minutos para se conter. Contou até dez, respirou fundo e então a olhou. Ela parecia um pouco desconcertada, assustada e alguma coisa mais que ele não conseguia decifrar.

— Chega disso, Babi. Eu preciso de você. Supere esse maldito trauma de uma vez. Eu não sou como ele.

Babi olhou-o de maneira doce e arrependida, e, Deus o ajudasse porque aqueles olhos eram a perdição de qualquer homem. Ele se virou para ficar de frente para ela.

— Jamais te magoaria de propósito.

— Eu sei.

— Estou apaixonado por você. Não pode compreender isso de uma vez por todas?

O olhar doce e inocente se aqueceu diante dessas palavras. Ele tocou o rosto dela com adoração. A marca da mordida agora estava quase desvanecida e Murilo a acariciou como prova da sua gentileza.

— Babi, eu te quero, e quero muito, mas, se continuar em cima do muro, indecisa e saindo pela noite à caça de companhia, deixando aquelas mulheres tocarem você, então vou parar por aqui, e vai ser definitivo. Eu não posso sair por aí te caçando pelas baladas gays todo fim de semana.

— Eu não estava buscando companhia, estava apenas dançando.

— Por favor, chega de me atormentar. Você não atende minhas ligações e não responde minhas mensagens. Eu fico louco imaginando coisas! Não te quero fora de casa, bebendo e paquerando ninguém. Que droga!

— Eu não ia sair com ninguém, eu juro. Só precisava me distrair um pouco.

— Não foi o que eu vi. Aquela loira estava a um passo de te comer ali mesmo. Isso tem que parar, Babi. Não quero nem homem nem mulher pondo as mãos em você. Qualquer hora você vai me fazer perder a cabeça. Eu vou matar alguém e a culpa vai ser sua.

Ela se apavorou e chegou perto dele. Segurou seu rosto com delicadeza e o beijou com ternura.

— Desculpa. Eu não vou mais fazer isso.

Murilo estava derretido pelo gesto dela. Um único beijo e ela já o tinha na palma da mão. Não queria estar tão à mercê dela, mas o fato era que estava.

Sua voz saiu rouca e desejosa:

— Mesmo? Promete?

— Sim. É apenas uma fuga. Eu sempre pensei que protegeria meu coração se procurasse estar entre pessoas a quem não poderia amar de verdade. Tentei gostar da Laura de maneira diferente, mas era apenas amizade, companheirismo. Gosto de estar entre os gays. São amigos leais, pessoas com um coração incrível. Mas é só isso... eu juro!

Ele a puxou para si e ela sentou no colo dele, os dedos dela brincando com os fios crescidos perto da nuca. Eles se beijaram profundamente. Os lábios dele eram suaves e comandavam os dela. A língua acariciava a sua de maneira sensual. Babi sentiu seu tesão aflorando. Tinha pensado nele noite e dia durante a última semana.

Sentiu muita falta de estar em seus braços, os corpos entrelaçados, fazendo amor. Ela murmurou entre um beijo e outro:

— Também estou apaixonada por você.

— Um pouco?

— Muito.

Ele acariciou o rosto dela, mordiscou seu lábio inferior e colocou a mão ousadamente entre suas pernas, estimulando seu sexo a desejá-lo. Babi ofegou e se insinuou para ele, mas Murilo queria vingança.

— Por que não atendeu minhas chamadas?

— Eu estava co-confusa.

— Por que não respondeu as mensagens?

Ela balançou o corpo e segurou a mão dele para que pudesse acariciá-la mais intensamente, mas ele não obedeceu. Babi gemeu alto quando ele subiu a mão e acariciou seu seio, rolando o bico excitado entre o indicador e o polegar.

— De agora em diante, será apenas eu. Consegue entender?

— Sim. Só você.

Ele subiu a blusa dela e tomou um mamilo na boca, sugando-o com fome de prová-la.

— Ninguém mais, ou eu vou fazer uma besteira.

— Eu juro, ninguém mais. Só você.

Ele respirou aliviado, baixou a blusa e voltou a estimulá-la entre as pernas.

— Sinto sua pulsação aqui.

— Estou quente, molhada e quero você.

O agente sorriu carinhoso para ela.

— Então vamos para casa e vou te dar tudo que quiser.

Ela o beijou apaixonadamente e ele quase tirou a roupa dela ali no estacionamento mesmo, para transar até o dia clarear. Mas não queria esse tipo de exposição. Queria fazer amor com ela a noite toda no conforto de uma cama, para poder virá-la do avesso, fazer com que gritasse seu nome e implorasse por mais.

Murilo deu partida no carro, com Babi encostada ao seu corpo. Durante o caminho, conversaram sobre Tiago.

— Ele está com a aparência mais saudável, mas não é bom que fique sozinho por muito tempo.

— Eu sei. Eu voltaria para casa, não ia passar a noite fora.

— Teria feito melhor se não tivesse nem saído.

Ela riu e se aconchegou melhor a ele, e seguiram para o apartamento.

Tiago tirou os olhos da televisão quando ouviu a porta se abrir. Sorriu satisfeito ao ver a irmã entrando acompanhada de Murilo. O agente olhou para a mão do garoto e fez uma carranca.

— Você é menor de idade, não pode beber.

Ele tirou a garrafa de cerveja do menino e a despejou na pia da cozinha. Babi ficou brava com o irmão.

— Estava bebendo? Não acredito nisso!

Tiago bufou.

— Sério mesmo?

— Sério mesmo, mocinho.

— Não sou mais criança, Tata. Eu estava sozinho, não tinha nada para fazer e a cerveja estava na geladeira. O que tem de errado?

— Apenas o fato de que não tem idade pra isso.

— Ah, para com isso, já fiz muita coisa que não condizia com a minha idade.

— Mas agora não vai mais fazer. As coisas mudaram. Você está de volta em casa. Vai levar uma vida normal.

Tiago se levantou com os olhos brilhando em fúria contida.

— Nunca mais vou ter uma vida normal. Para de fantasiar que vamos ser uma família como outra qualquer. Nossos pais morreram, fomos escravizados e passei por coisas que...

Babi sentia seu coração acelerado. Dor, revolta, ira, estava tudo ali estampado no rosto dele. Sua voz suavizou quando voltou a falar.

— Eu sei, Ti. Mas temos que tentar, não é? A vida precisa seguir normalmente. Você vai pra escola, vai jogar futebol, navegar na internet e paquerar as garotas. Nada além disso... temos que nos esforçar.

O carinho na voz dela não foi suficiente. Ele riu, debochado.

— Virou minha mãe agora?

— Sou a única que responde por você.

Tiago bufou, deu as costas e foi para o seu quarto.

Murilo sorriu complacente e tentou animá-la.

— Você tem um adolescente dentro de casa, neném. Vai precisar aprender a lidar com isso.

— Ele ainda está cheio de merda na cabeça.

— Por isso não pode deixá-lo sozinho por muito tempo, entendeu agora?

— Sim. Tem razão. Acho que ainda estou um pouco perdida com tudo.

— Eu estou aqui. Vou te ajudar com ele.

— Obrigada, Alan.

— Murilo.

— Como?

— Você me chamou de Alan, mas meu nome é Murilo. Esqueceu?

— Eu acho que você tem mais cara de Alan.

Ele riu e a abraçou, os braços envolvendo a cintura dela.

— Você pode escolher com quem quer dormir hoje. Com o Alan ou com o Murilo. Viu como sou bonzinho?

— Bom, eu já conheço o Alan, seria bom saber como é dormir com o Murilo.

— Não vai ter muita diferença, você sabe.

— Vai sim. Pela primeira vez, eu vou dormir sabendo exatamente quem você é, o que faz e por que está aqui.

Ela ficou na ponta dos pés para beijá-lo. Murilo sorriu com o esforço dela em alcançar sua boca. *Como era pequena, perfeitinha e linda!* Agora tinham acertadamente um relacionamento sério, ela era sua por inteiro. Sua namorada. Ele queria proporcionar a ela os melhores momentos ao seu lado.

Babi tirou a camiseta dele e jogou-a no chão, as mãos explorando o físico impecável e todo modelado. Com as bocas grudadas, eles foram tirando as roupas e caminhando para o quarto dela, agarrados. Murilo a ergueu e ela enlaçou sua cintura com as pernas. As mãos dele estavam em sua bunda, segurando-a com facilidade.

Babi tinha o traseiro mais perfeito que ele já tinha colocado as mãos: redondo, firme e de pele macia. Ainda mostraria a ela o quanto aquela bunda podia trazer um prazer incrível para os dois. Caíram na cama sedentos um pelo outro, desesperados para compartilharem uma noite de amor tranquila. Murilo acariciou o corpo dela, beijou seus seios e a garota gemeu alto. Ele colocou um dedo na boca dela para silenciá-la.

— Seu irmão está bem aqui ao lado. Ele é um adolescente com os hormônios à flor da pele e vai ficar louco se nos ouvir. Não queremos isso, não é? Temos que ser silenciosos.

Ela riu com a preocupação dele, mas teve que concordar.

— Está bem.

Ele sussurrou:

— Vou chupar você todinha e pode gemer no meu ouvido se quiser. Vou adorar.

E ela o fez. Babi mal podia se conter com as coisas que estava sentindo. Murilo ficava louco com a receptividade dela. Finalmente estavam juntos, sem tensão, sem problemas e sem um monte de caras estranhos na cozinha dela no dia seguinte.

Ele tirou a calcinha e separou suas pernas. Tomou o clitóris na boca e o sugou forte, firme e repetidamente. A língua se introduziu entre as paredes macias dos lábios vaginais, lambendo-os, acariciando-os e sentindo seu gosto tão peculiar.

Babi enlouqueceu, tremendo, gemendo e sufocando o grito de prazer quando o orgasmo a atingiu com dimensões que abalariam o eixo da Terra. Ela gozou na boca dele e Murilo sugou todo o sabor do prazer que seu corpo liberou em camadas quentes.

Ele a virou de costas e brincou com sua bunda, lambendo-a naquele lugar que nunca ninguém havia tido acesso. Ele fez todo o percurso de suas costas com beijos lentos e molhados, e ela se perdeu no prazer de sentir o peso dele, a boca e sua mão em todos os lugares.

— Pede para eu te tomar.

— O quê?

— Pede para eu... para eu enfiar meu pau dentro de você até o fim.

Ele estava em cima das costas dela, o rosto enterrado em seu pescoço, a boca saboreando sua nuca, o lóbulo da orelha.

— Enfia tudo em mim.

— Deus, neném... é o que eu mais quero.

Ele enfiou de uma única vez e ela engasgou com a sensação incrível de tê-lo dentro de si. Murilo movimentou-se devagar a princípio, entrando e saindo com lentidão deliciosa.

— Amor, eu quero mais.

— Quer tudo?

— Tudo.

Ele empurrou até o fim e remexeu a cintura para fazê-la sentir seu membro em toda a sua extensão.

— Ahhhh...

O prazer absoluto dela foi demais, e, então, ele bombeou rápido, duro e constante. Era incrivelmente prazeroso estar dentro dela, como nunca havia sido até então. Estavam conectados de maneira única.

Babi gozou com uma força descomunal, sua mente perdendo-se no delicioso tormento da intimidade que compartilhava com ele. Ela o viu fechar os olhos e estremecer vezes seguidas. Sua respiração estava alterada, um grunhido animalesco escapando do fundo da sua garganta.

Murilo esvaziou-se por completo e sentiu seu corpo relaxar. *Quão incrível seria transar com ela todas as noites? Quão maravilhoso seria tê-la todos os dias? Seria o paraíso!*

Babi pensou que em sua vida não haveria mais nenhuma preocupação além de desfrutar todo o prazer incrível que aquele homem estava lhe dando. Estava viva novamente e não poderia estar mais feliz. Murilo virou de lado e a puxou para si. Eles cochilaram por cerca de duas horas até que recomeçaram a se amar, e assim se sucedeu por toda a noite.

No dia seguinte, Tiago saiu do quarto e viu as roupas espalhadas em uma trilha que acabava no quarto da irmã. Ele segurou o sutiã de renda na ponta do dedo, sacudiu a cabeça divertido e recolheu as outras peças. Eles até que tentaram ser discretos, mas as paredes eram finas, e os quartos, muito próximos. Ele estava impressionado com o casal: eram uns insaciáveis. Tiago teve que dormir com o fone no ouvido a noite inteira. Quando pensava em tirá-lo, ouvia os gemidos, os sussurros, as risadinhas, então, voltava a colocá-los. O irmão de Babi estava feliz por ela. Achava que a garota merecia um pouco de paz e diversão, e, além disso, Murilo parecia ser um cara legal, de verdade.

Tiago foi para a cozinha fazer café mal acreditando que estava em casa, que a irmã estava com o namorado bem ali, do lado dele, e que ele tinha sua vida de volta.

Ele retornaria à sua rotina e, um dia, em um futuro ainda um pouco distante, devolveria a Dan e a Julián todo o sofrimento que causaram a ele e à sua irmã. Um dia.

Por enquanto, podia fingir ser um adolescente normal. Podia curtir estar de volta e empurrar para o fundo da mente toda a violência e as injustiças que sofreu e viu os outros sofrerem.

— Bom dia.

— Bom dia, Tata.

Babi deu um beijo no irmão, e Murilo se recostou na porta, achando legal Tiago chamá-la pelo apelido de criança. Sua irmã também o chamava por um apelido carinhoso e ele gostava disso. Ele era um cara ligado à família, e pretendia ter a sua própria em breve.

— Poderiam, por favor, deixar para tirar as roupas no quarto? Assim me poupariam de sair catando as peças pela casa.

O casal sorriu. Murilo se serviu de café e falou para os dois:

— Arrumem as malas, vamos viajar.

Os irmãos se espantaram.

— Para onde?

— Para a minha casa, no sul. Quero que conheçam meus pais e minha irmã.

Tiago fez graça.

— Pais, hein? A coisa está séria, então.

Murilo respondeu sem hesitar:

— Sempre foi.

Babi estava um pouco incerta.

— Tem certeza?

— Absoluta. Vamos tirar uns dias de férias e, quando voltarmos, vamos nos mudar.

— Para onde?

— Para os Estados Unidos.

Tiago ficou muito eufórico.

— Verdade mesmo? Maneiro!

A garota olhou para ele, incrédula.

— Que história é essa?

— Dylan me convidou para ingressar como agente permanente na equipe dele. Vou me mudar para lá no próximo mês.

— Isso não nos inclui.

— Como não? Estamos juntos, aonde eu vou, você vai. E Tiago também, é claro.

— Não podemos.

Tiago olhou para ela, parecendo não entender.

— Por que não, Tata? Nada nos prende aqui, nem emprego você tem mais.

Murilo completou os argumentos do irmão:

— E, além disso, estarão mais seguros fora do Brasil por um tempo.

— Eu quero ir. Os Estados Unidos devem ser da hora! Nossa mãe fez questão de nos ensinar inglês desde pequenos porque queria que estudássemos lá um dia.

Ela sorriu para os dois homens da sua vida. Ela iria aonde eles fossem.

— Tudo bem. Podemos amadurecer a ideia. Primeiro, preciso pensar nessa coisa toda de conhecer meus sogros.

Murilo sorriu satisfeito. Babi deu um beijo no irmão e se emaranhou nos braços do seu amor. Nunca mais se separaria dele. O rapaz a beijou carinhosamente e Tiago saiu de fininho, mas ouviu algo que o deixou feliz:

— Minha neném. Te amo! Somos uma família agora e vamos cuidar um do outro.

Família. Há muitos anos, Babi não pronunciava essa palavra. Há muito tempo, ela tinha desistido de ter sua própria família. Parecia um sonho. Murilo era seu sonho e agradeceria a Deus cada dia que acordasse ao lado dele.

# EPÍLOGO

***Aeroporto Internacional de Boston - Janeiro/2013.***

Babi ouviu o anúncio do pouso. Ela se remexeu na sua poltrona de primeira classe e olhou pela janela para ver a claridade reluzente das nuvens. Depois, olhou para o namorado, que estava ao seu lado, lendo, muito concentrado, um monte de papéis.

Tiago estava na poltrona ao lado. Ele assistia com atenção a um filme muito violento que passava no seu monitor particular.

Em pouco tempo, estariam iniciando uma vida nos Estados Unidos. *Que loucura!* Conhecia Murilo — que para ela sempre se pareceria muito mais com o nome Alan — há pouco mais de três meses e já iriam dividir uma casa.

Ela fechou os olhos e se lembrou do seu fim de ano com a família maravilhosa do namorado na cidade de Canela. Ele havia lhe dito que era de Porto Alegre, mas, assim como seu nome, essa informação não era verdadeira. Os pais dele, Ana e Pedro, não poderiam ter sido mais receptivos. Trataram a garota e seu irmão como convidados de honra. Foi muito divertido. A irmã de Murilo era uma moça espoleta e simpática, que piralheava o irmão o tempo todo. Tinha vinte e quatro anos e era dona de uma belíssima cafeteria na cidade.

Eles se adoravam e se tratavam por apelidos carinhosos. A moça chamava-se Melissa, ou simplesmente Mel. Já Murilo era para a irmã o "Lilo", desde que era criança e não conseguia pronunciar o nome do irmão mais velho corretamente e foi pelo caminho mais fácil, nunca perdendo o hábito, mesmo depois de estarem crescidos.

Tiago riu muito. Lilo era uma personagem de um desenho animado norte-americano e ele não deixou de importunar o cunhado com a comparação. Murilo nem ligou. Adorava a irmã e era a única que ainda podia usar o apelido infantil até os dias de hoje sem aborrecê-lo.

Eles fizeram turismo e viram as luzes de Natal. Ela permaneceria ali no sul para sempre, mas os pais dele ficaram mais do que orgulhosos de o filho ter sido promovido para uma agência internacional e deram todo o apoio para ele seguir sua carreira, entusiasmados em visitá-lo tão logo eles tivessem uma casa para morar.

Ela se virou para ele para perguntar pela milionésima vez:

— Tem certeza de que o comandante Dylan sabe que eu e Tiago estamos chegando com você?

Murilo olhou para ela e sorriu, paciente.

— Já me fez essa pergunta hoje, Babi, e eu me lembro bem de tê-la respondido.

— Não quero que ele se aborreça com a minha presença.

— Ele sabe, e concordou em nos hospedar por alguns dias na Base até que achemos uma casa apropriada. Lorena já tem alguma coisa em vista para nós, só está esperando que possamos aprovar antes que a alugue.

— Ela vai alugar?

— Sim.

— Por quê?

— Porque ela conhece todo o procedimento das imobiliárias norte-americanas e, além do mais, nossa acomodação será uma despesa do governo por um ano.

— Como?

Murilo deu de ombros.

— O governo costuma arcar por um tempo as despesas de agentes que trabalham com alta periculosidade, principalmente se eles vêm de fora, como é o meu caso.

— Que mordomia!

— Eu trabalho em prol da vida das pessoas, Babi. Devo ser recompensado por isso.

— Seu salário deveria ser sua recompensa, ou não?

Ele riu.

— Sim. Meu salário e mais as ajudas de custo para acomodação, transporte e alimentação.

— Deus, e lá se vai todo o dinheiro dos cofres públicos!

— Eu faço um bom trabalho, então, é merecido o gasto.

— Você é tão modesto!

O agente se inclinou para beijá-la e acariciou seu rosto tenso e inseguro. Ela murmurou, ranzinza:

— As passagens de primeira classe foram da ajuda de custo?

— Não. Eu paguei por elas porque queria viajar com conforto.

— Você é exigente.

— Sim. Trabalho duro, arrisco minha vida e quase não tenho tempo livre, então, acho que posso me dar ao luxo de usufruir de certas mordomias.

Ela pensou um pouco.

— Eu deveria reembolsá-lo pelo meu bilhete e o do Tiago.

Ele olhou para ela com ar descrente e surpreso.

— Por que diz isso?

— Porque você não tem nenhuma obrigação de estender essa mordomia a mim e ao meu irmão.

— Vou fingir que não ouvi isso.

Eles ficaram em silêncio. Babi ficou pensando um pouco. Poderia ver se Lorena lhe fornecia uma lista completa dos pubs mais badalados de Boston, onde ela poderia tentar um trabalho.

Talvez, em pouco tempo, estivesse empregada e, então, se sentiria melhor. Tiago ainda era menor de idade, mas poderia arrumar algo também. Com sorte, eles conseguiriam estar trabalhando em breve.

Murilo observava a namorada. Alguma coisa estava deixando-a desconfortável. Ele tinha ligado para Dylan, aceitando o convite, e não hesitou em lhe dizer que só iria se Babi e Tiago pudessem estar com ele.

Dylan riu e disse que ia pedir que Lorena providenciasse acomodação para três. Ele havia dito para a garota que o comandante tinha dado seu aval e que estava tudo bem, mas ela não acreditou. Estava insegura e muito pensativa nos últimos dias. Will não ajudou em nada, se desfazendo em lágrimas dramáticas no aeroporto. Ela tinha ficado ainda mais deprimida.

Tiago e ele ficaram olhando os dois se abraçarem, parecendo que não iam se soltar nunca mais.

— Docinho, não vá me esquecer. Me liga, me manda e-mail e fala comigo no chat.

— Ah, Will, vou sentir tanto a sua falta! Tanto!

Murilo revirou os olhos. Estavam atrasados e a coisa não se desenrolava. Tiago também estava impaciente.

— Vamos, Tata. Já fizeram a segunda chamada do voo.

Ela concordou e soltou o amigo, que deu um abraço apertado em Tiago e outro em Murilo.

— Cuide dela, gaúcho. Cuide muito bem dela.

— É o que pretendo fazer, Will.

Ela fez a viagem em silêncio e muito distante. Ele acariciou o rosto dela.

— Ei, neném, o que foi?

— Nada.

— Me diz, Babi.

— Só estou um pouco preocupada com essa mudança toda.

— Vai ficar tudo bem.

— Acha que Lorena pode me ajudar a encontrar os endereços dos pubs mais badalados?

O agente estreitou os olhos.

— E para que você precisa disso?

— Para procurar emprego, é claro.

Ele respirou fundo. Não tinham conversado sobre isso ainda, mas nunca a deixaria trabalhar até de madrugada em um pub, enquanto ele ficava em casa esperando.

— Não tenha pressa, Babi.

— Como assim? Claro que tenho pressa.

— Não vejo o porquê.

— Preciso sustentar a mim e ao meu irmão. É um tipo de resposta óbvia.

— Estão sob minha responsabilidade. Não precisa se desesperar para arrumar qualquer trabalho de imediato.

— Que conversa é essa? Não existe "estar sob sua responsabilidade".

— Vou ganhar o suficiente para sustentar todos nós sem problemas. Você é minha mulher e ele, meu cunhado, qual o problema?

— Ainda não sou sua mulher. E, afinal, por que está argumentando comigo sobre isso? Posso pensar que não quer que eu trabalhe...

— Mas eu não quero.

Babi ficou muito surpresa. *Não trabalhar?* De jeito nenhum ficaria à toa em casa o dia todo enquanto ele arcava com todas as despesas.

— Isso não está em discussão, Murilo.

Ele ficou carrancudo e Babi sabia que ele não ia discutir no avião. Ficaram em silêncio por um bom tempo, e então Murilo sussurrou:

— Se quiser trabalhar, vai ter que arrumar alguma coisa durante o dia.

— Sou bartender, não há "coisas" para trabalhar nessa profissão que não seja em algum ambiente noturno.

— Então pode pensar na possibilidade de se aposentar.

Ela bufou incrédula e sua voz saiu mais alta do que desejava:

— Me aposentar? É algum tipo de piada?

— Não. Você não vai passar as madrugadas na rua e ponto final.

— Madrugadas na rua? Ficou louco?

Ele a repreendeu com o olhar pelo tom de voz. Tiago olhou para eles.

— Fala baixo, Babi. Vamos discutir isso quando chegarmos.

— Não há o que discutir. Tenho uma profissão e vou exercê-la.

— Veremos.

A coisa azedou entre eles. O avião pousou. Ramon os esperava no saguão e cumprimentou todos com um sorriso de boas-vindas, deu a mão para os rapazes e plantou um beijo na bochecha de Babi.

Murilo e ele foram conversando durante todo o trajeto. Tiago observava o movimento da cidade. Era bom estar ali. Agarraria as oportunidades. Nada melhor do que ter um cunhado agente dentro de uma equipe de alto padrão que poderia lhe introduzir na carreira policial.

Ele pediria em breve que Murilo lhe ensinasse a atirar e se matricularia em um curso de defesa pessoal. Nunca mais seria uma presa fácil para nenhum maldito traficante ou qualquer coisa do gênero.

Babi estava calada e refletindo sobre a pequena discussão que tivera com o namorado. Deus, ele era um sonho personificado, e mesmo em tão pouco tempo de convivência sentia-se muito apaixonada.

Mas estava ciente de que ele era duro na queda, teimoso e obstinado. Talvez fosse a profissão, ou talvez da sua natureza mesmo, mas o homem gostava de conduzir as coisas a seu modo e ela ainda estava buscando meios de lidar com isso.

Eles entraram no estacionamento subterrâneo de um edifício gigantesco e foram direto para os fundos, onde barras de ferro circundavam um elevador privado, impedindo a passagem. Dois seguranças enormes os recepcionaram e entregaram seus crachás.

Ramon digitou o código e eles desceram. Quando a porta se abriu, Tiago e Babi tiveram que piscar os olhos muitas vezes para conterem a admiração. Estavam de queixo caído pelo local. O garoto sussurrou, impressionado:

— Isso aqui é uma base da NASA?

Ramon sorriu.

— Não. Chamamos de BSS. Base Secreta Subterrânea. É, na verdade, um centro de operações secretas.

Tiago se sentia em algum tipo de filme futurista.

— Parece uma imensa nave espacial.

Eles olharam tudo ao redor. O teto era muito alto, contradizendo o fato de eles estarem muitos andares abaixo do solo. A decoração, metalizada e muito requintada. Algumas pessoas iam e vinham sem lhes dar atenção. O local era uma pequena cidade subterrânea.

— Não me lembro de ter estado aqui da última vez.

— Como assim? Já esteve aqui, Tata?

— Foi aqui que meu inferninho começou.

Ramon riu alto e depois falou:

— Você esteve do outro lado da Base, na sala de Dylan e de interrogatório. Fica perto das acomodações. Temos três entradas diferentes para esse lugar.

Eles atravessaram o local rapidamente, passaram por muitos departamentos e caminharam em longos corredores. Lorena os encontrou no meio do caminho e abraçou a garota afetuosamente, cumprimentando os outros com um aperto de mão.

Tiago fazia um milhão de perguntas para Ramon:

— O comandante Dylan é chefe de tudo isso aqui ou somente dos agentes?

Lorena se antecipou e respondeu:

— Ele é o chefão, Tiago. Todo mundo dentro desse complexo é subordinado a ele. Todos os departamentos têm subchefes que coordenam as equipes e respondem ao comando dele, com exceção dos agentes que são diretamente ligados a ele.

O menino pensou um pouco e depois voltou a falar, agora para sua irmã:

— Tata, veja se pode se comportar e não mandar o chefe se foder dessa vez, porque estou muito a fim de ficar por aqui.

Murilo e Ramon riram alto. Lorena tinha a expressão divertida e Babi fuzilou o irmão com o olhar. O comentário apenas intensificou seu mau humor, causado pela discussão com Murilo no avião.

Ramon se despediu e Lorena entrou em um corredor que tinha várias acomodações. Babi se lembrou desse lado do ambiente. A agente indicou o primeiro quarto para Murilo.

— Você e ela podem ficar aqui. Vou colocar Tiago bem do lado.

Babi se opôs.

— Podemos ficar juntos, Lorena. Está tudo bem. Não precisamos ocupar mais de um espaço.

A moça riu.

— Fique tranquila, querida. Temos espaço mais do que suficiente para acomodar todos. Tiago vai gostar de ter um quarto só para ele, eu acredito.

— Vou adorar. Não tenho vocação para segurar vela.

Novamente, todo mundo riu e Babi reagiu ao irmão:

— Pode parar de ser desagradável por uns minutos?

— Desagradável? Só quero dar privacidade a vocês.

Murilo estava surpreso com a reprimenda de Babi para o rapazinho. Ela estava um pouco irritada, assim, ele abriu a porta e a puxou para dentro.

— Obrigado, Lorena. Gostaria de lhe falar mais tarde, se você não estiver muito ocupada.

— Sem problemas. Dylan quer trocar uma palavra com vocês antes do jantar. — Ela consultou o relógio e deu as instruções: — Em uma hora e meia na sala de reuniões, por favor.

Eles concordaram e Murilo fechou a porta. Babi deu uma olhada geral. Esse era um quarto grande, para casal mesmo. Confortável e muito estiloso. O agente colocou as coisas deles em cima de um sofá de dois lugares, que, junto com duas poltronas, formava uma pequena sala no canto do quarto. A cama ficava no meio, junto a dois criados-mudos, um de cada lado.

Ainda havia um frigobar e uma penteadeira com um espelho grande em frente à cama. Um banheiro mediano e uma janela que dava para um jardim de inverno artificial, mas bonito, deixava o local mais leve.

Murilo abraçou a namorada por trás e aspirou o cabelo dela.

— Estamos um pouco irritados hoje?

Babi não respondeu de imediato e ele mordiscou o lóbulo da orelha dela. A garota pendeu a cabeça para o lado para dar a ele maior acesso à sua nuca. Ele sorriu satisfeito e deixou a boca percorrer o pescoço cheiroso, dando-lhe pequenos e suaves beijos, que fizeram a pele dela se arrepiar.

A mão dele começou a dançar pela barriga de Babi, apertando-a em seu corpo e deixando que ela sentisse o quanto a queria. Murilo baixou a mão para dentro da calça jeans, desceu o zíper e se infiltrou dentro da calcinha. Ele achou rapidamente seu local preferido, quente, úmido e delicioso. Deixou seus dedos brincarem ali e Babi já sentia seu corpo todo reagir a isso.

— Que tal um banho?

— Eu iria adorar.

— Então vem.

Murilo a puxou para o banheiro e deixou que a namorada relaxasse debaixo do chuveiro quente. Ensaboou todo o corpo dela, massageando suas costas e deslizando os dedos pelas partes sensíveis. Introduziu dois dedos dentro do seu sexo úmido e a masturbou com carinho. Ela gozou rápido, estava à flor da pele.

Babi se virou e passou os braços pelo pescoço dele, erguendo-se para beijá-lo. A boca dele era perfeita e maravilhosa, e ela nunca se cansava de saborear seus lábios. Murilo gostava do jeito que ela deslizava a língua pelo interior de sua boca e da maneira que ela gemia baixinho desfrutando do prazer de sentir o contato pele com pele.

Ele a ergueu, encostando-a na parede, e sustentou o corpo dela junto ao seu enquanto a tomava com paixão. Seu pau deslizou para dentro com habilidade. Murilo socou fundo por minutos antes de sentir o gozo percorrer sua espinha e explodir por todo o seu corpo. Deus, ela era a melhor coisa que tinha acontecido na vida dele e jamais se cansava de estar com ela.

A respiração ofegante dela, a água quente que descia do chuveiro e caía sobre eles, os seios roçando em seu tórax, bem como o mexer sensual dos quadris que o recebiam tão perfeitamente elevavam sua excitação a um ponto que o deixava incoerente.

Ele sentiu seu corpo tremer e o corpo dela estremecendo junto ao seu, e sabia que a tinha levado para fora de si. Murilo adorava, amava tirá-la da sua razão. E então a beijou muito demoradamente, selando sua paixão. Os pés delicados de Babi escorregaram pela bunda perfeita dele e depois por sua coxa, excitando-o, provocando-o, deixando-o louco por ela.

Babi sentia o beijo dele como o fechamento de ouro do ato de amor que tinham acabado de praticar. Ele era perfeito. Céus! Parecia que era tão fácil para ele fazer com que todo o seu corpo amolecesse e se derretesse como manteiga com o simples toque das mãos e da boca. O que ele fazia com os sentidos dela era embriagador.

— Será que eu colaborei para melhorar seu humor?

Ela sorriu e concordou docemente.

— Sim.

— Então vamos nos apressar, porque o chefe espera nos ver em meia hora.

Dylan estava assistindo um vídeo quando Lorena abriu a porta e deu espaço para que eles entrassem.

O comandante ergueu os olhos e desligou o monitor, se levantando e fazendo sinal para que os três se sentassem. Como sempre, ele não fez cerimônias.

— Vamos direto ao ponto: vocês dois têm que compreender que o agente Marconi faz parte agora de uma organização secreta, que presta serviços ao governo dos Estados Unidos e aos seus aliados para operações de alto risco e muito, muito sigilosas.

"Uma vez que estão sob responsabilidade dele, terão que assinar um documento de confidencialidade, que os proíbe de usar a patente dele em prol de suas vidas particulares, bem como divulgar, repassar ou fazer uso de informações secretas que eventualmente possam ter acesso pelo convívio com ele."

"Isso se estende aos outros agentes que conhecem e à menção ou reconhecimento deste lugar. Para todos os fins, os poucos que sabem desse local o têm como uma rede de escritórios que presta serviços para órgãos importantes do Estado. Murilo será apresentado a todos os seus conhecidos como um administrador de empresas."

"A casa que Lorena tem em vista para vocês fica em um local afastado daqui. Uma vila boa e aconchegante, que lhes possibilitará viver em paz e com discrição. Estamos entendidos?"

Babi e o irmão concordaram prontamente. Lorena colocou os contratos na frente deles e os orientou sobre as cláusulas. Por ser menor de idade, Tiago tinha que ser respaldado por alguém.

Babi se estendeu para assinar como responsável do irmão, mas Murilo a impediu.

— Eu assino.

Tiago ficou surpreso, mas gostou da confiança que o cunhado estava depositando nele, e, assim que tudo estava assinado, Dylan estendeu dois passaportes e duas carteiras de identificação americana para residentes estrangeiros com nomes e sobrenomes diferentes.

— Julián e seu homem de confiança não foram pegos. Nosso policial infiltrado desapareceu, o que nos leva a crer que foi descoberto e morto. O facilitador que trabalha com Julián na rota norte-americana não está nem perto de ser descoberto. Considerando que ele identificou a nacionalidade dos meus agentes, temo que esteja mais próximo do que gostaria de acreditar. Assim, para todos os fins, vocês se apresentarão com as novas identidades providenciadas. Mantivemos a nacionalidade de vocês por motivos de aparência física e devido ao inconfundível sotaque latino, mas isso não deve lhes trazer problemas.

Babi olhou para seu passaporte e sua identidade. Seus olhos se arregalaram em descrença. Seu nome era agora Bianca Marconi, casada com Murilo Marconi; sua data de aniversário tinha sido alterada, indicando que ela tinha exatos vinte e um anos, dois a menos do que realmente tinha.

— Casada?

Murilo sorriu, para o espanto dela. Dylan explicou:

— Sim. Se o traficante estiver no seu encalço, ele deve estar procurando por uma Bárbara Savi, solteira, vinte e três anos. Sugiro que mude um pouco sua imagem. Seria uma pena, mas cortar os cabelos pode ajudar.

Tiago olhou o seu novo nome. Marcos Polezel. Dezoito anos. Solteiro.

— Putz, isso é muito da hora. Sou maior de idade agora.

— Não aqui. Mas ser um pouco mais velho pode ser útil no futuro.

Babi não achou que poderia ficar mais surpresa.

— Como? Dois anos mais velho?

Dylan deu de ombros.

— Achei que ele ia gostar. Pode terminar os estudos e arrumar um trabalho informal.

— Não sei se é uma boa ideia que ele esteja com uma idade mais velha, Dylan.

— Por que não, Tata? Eu gostei. Sou responsável o suficiente.

O comandante viu a preocupação nos olhos da irmã e a tranquilizou:

— Essas identificações são apenas para terceiros, Srta. Savi. Nós sabemos quem vocês são de fato, tanto que os contratos estão com suas identidades verdadeiras. Nada mudou em seus registros no Brasil porque, se o colombiano tentar rastreá-los por lá, não os encontrará, obviamente. As passagens e o embarque de ambos foram deletados do sistema da companhia aérea. Vocês estão seguros.

Murilo tinha que tirar o chapéu para o chefe. Ele pensava em tudo. O homem continuou:

— Agora preciso que entreguem à Lorena toda a documentação que tenham com os nomes verdadeiros. Enquanto estiverem nos Estados Unidos da América, serão Bianca Marconi e Marcos Polezel. Se um dia retornarem ao Brasil, terão suas identidades de origem recuperadas.

— E se quisermos ir a passeio, por exemplo, qual vamos usar?

— Quando isso ocorrer, Lorena fará os arranjos necessários para que embarquem com seus documentos novos. Fiquem tranquilos.

Todos concordaram e ele deu a palavra à sua assistente.

— Vamos amanhã de manhã ver a casa que reservei com o corretor e, se gostarem, em poucos dias já poderão se mudar.

Dylan se levantou e todos fizeram o mesmo. Ele se dirigiu ao agente.

— Temos uma reunião para a próxima missão em três dias, às sete da manhã, aqui. Quero que esteja presente.

— Eu estarei, comandante.

Eles se viraram para sair e Dylan ficou observando-os. Murilo passou seu braço pela cintura de Babi e beijou seus cabelos. Tiago conferia seus documentos, satisfeito. Lorena suspirou, sonhadora.

— Fazem um belo par.

— Ele é um homem de atitude.

— E ela uma mulher de sorte, muita sorte.

Dylan olhou pra sua assistente, confuso. Seu tom de voz era no mínimo curioso.

— Se não a conhecesse tão bem, diria que andou passando os olhos pelo agente brasileiro.

Ela o encarou, exasperada.

— O que eu quero dizer, comandante, é que pouquíssimos homens hoje em dia se dão a chance de se apaixonar e apostar em uma relação séria. Eu admiro os que o fazem.

Ele estreitou os olhos, surpreso. Ela o chamava sempre de Dylan, e o uso da sua patente era algo que fazia quando estava irritada ou muito séria sobre uma missão. A conversa entre eles agora não indicava nem uma coisa nem outra, e ele imaginou que tinha dito alguma coisa que a tinha irritado. Era melhor mudar de assunto.

— Quero um olho em cima do menino. Posso ter algo em mente para ele no futuro.

— Eu imaginei, quando vi que adiantou dois anos da vida do garoto.

— Ele sabe muito, Lorena. Um ano dentro de um cartel de drogas é uma bagagem a ser considerada. Vamos apenas dar um tempo para ele se situar com a nova vida.

— Tudo bem. Vamos observá-lo de perto. Bem de perto.

# AGRADECIMENTOS

Não poderia deixar de agradecer à minha família pelo apoio, incentivo e por sempre acreditar em mim. À minha amiga Ana, que foi a primeira pessoa que leu, que acreditou na história e se apaixonou pelos agentes da BSS tão perdidamente que não me deixou desistir deles. A todas as meninas do grupo dos agentes no Whatsapp que divulgam, indicam e trabalharam junto comigo para esse sonho se realizar, em especial à Silvia Forner, que cuida da página dos agentes no Facebook com tanto carinho e dedicação.

Agradecimento mais que especial para toda a equipe da Editora Charme, em especial à minha querida Verônica Góes, pelos conselhos certeiros que têm me guiado por esse mundo novo e apaixonante.

# DEDICATÓRIA

*Esse livro é dedicado à minha mãe, dona Olívia — a melhor contadora de histórias com quem eu tive o prazer de conviver —, por me incentivar a ler, me dar livros e me contar as mais fascinantes histórias da minha infância.*

*Também à minha filha, Sabrina. Tudo que faço é pra você e por você. Sempre!*

Editora
Charme